Марк Леви

MARC LEVY

ELLE & LUI

МАРК ЛЕВИ

Она & Он

РОМАН

Издательство "Иностранка"

Москва

УДК 821.133.1-3Леви
ББК 84(4Фра)-44
   Л36

Marc Levy
ELLE & LUI

Перевод с французского
Аркадия Кабалкина

Художественное оформление
Сергея Карпухина

Леви М.

Л36   Она & Он : Роман / Марк Леви ; Пер. с фр. А. Кабалкина. —
М. : Иностранка, Азбука-Аттикус, 2015. — 416 с.
ISBN 978-5-389-09876-3

Пол публикует первый роман и уезжает из Сан-Франциско в
Париж. Сочиняет, встречается с читателями — и чувствует
себя безмерно одиноким. Миа бежит из Лондона, бросив
предавшего ее мужа, и находит убежище у подруги-францу-
женки. Миа случайно заходит на сайт знакомств и назначает
встречу Полу. С этого момента жизнь обоих превращается
в клубок проблем. От друзей никакой помощи, они только
еще больше все запутывают. Куда бежать, разве что на край
света? Но даже далекое путешествие не поможет убежать
от самого себя.

УДК 821.133.1-3Леви
ББК 84(4Фра)-44

ISBN 978-5-389-09876-3

Моему отцу
Моим детям
Моей жене

Когда-нибудь я поселюсь в теории,
ибо в теории все всегда хорошо...

I

1

Дождь вымочил крыши и фасады, автомобили и автобусы, тротуары и пешеходов. В Лондоне лило не переставая с начала весны. У Миа только что закончилась встреча с агентом.

Крестон был человеком старой закалки, из тех, кто всегда говорит правду, но делает это изысканно. Олицетворение изящества, он вызывал уважение, на званых ужинах цитировали его хлесткие высказывания, впрочем, никого не оскорблявшие. Миа пользовалась его покровительством, что в мире кино, жестоком и зачастую грубом, было неоценимым преимуществом.

В тот день Крестон побывал на закрытом просмотре нового фильма Миа. Ей не разрешалось сопровождать его на таких просмотрах, поэтому она ждала результата у него в кабинете.

Крестон снял плащ, уселся в кресло и не стал ее томить:

— Экшн, налет романтичности, сценарий искусно выстроен вокруг интриги, которая, правда, слабовата, но кому в наши дни есть до этого дело?

Миа, слишком хорошо знавшая Крестона, поняла, что этим он не ограничится.

Она великолепна, продолжал он, но злоупотребляет обнаженкой. В следующий раз ей лучше проявить бдительность и не демонстрировать ягодицы в каждом третьем эпизоде. Он сам об этом позаботится в интересах ее карьеры: на людей слишком быстро навешивают ярлыки.

— А теперь признайтесь честно, что вы думаете о фильме, Крестон.

— Ты играла безупречно, и о твоей роли я могу высказаться только в превосходной степени. С другой стороны, нельзя бесконечно снимать фильмы, герои которых успевают за одну осень совершить два предательства, три измены и выпить чашку чая. Это приключенческий фильм, камера много ерзает, действующие лица суетятся... Что к этому добавить?

— Правду, Крестон!

— Барахло, дорогая моя, самое что ни на есть барахло, но на него пойдет много зрителей, потому что на афише красуетесь вы с мужем. Само по себе — это событие, за неимением других. Пресса будет без ума от вашего сотрудничества на экране, еще больше ей понравится то, что ты заменила его в роли звезды. Это не комплимент, а очевидность.

— Обычно звезда — он, — ответила Миа с вымученной улыбкой.

Крестон почесал бороду — жест, в который он вкладывал глубокий смысл.

— Как поживает ваш брак?

— Уже никак.

— Осторожно, Миа, только без глупостей!

— Какие еще глупости?

— Ты меня отлично поняла. Все так плохо?

— Съемки нас не сблизили.

— Это именно то, о чем я не желаю слышать — по крайней мере до тех пор, пока фильм не выйдет в прокат. Будущность шедевра зиждется на вашем партнерстве, как на экране, так и на публике.

— У вас есть для меня новые сценарии?

— Есть, и не один.

— Крестон, мне хочется за границу, подальше от Лондона, от его тусклых цветов, хочется сыграть умную, заметную роль, услышать слова, которые меня тронут, заставят смеяться. Хочется немного нежности, хотя бы в маленьком скромном фильме...

— А мне хочется, чтобы мой «ягуар» никогда не ломался, но вот беда: обслуживающий его механик уже давно обращается ко мне по имени. Понимаешь, что это значит? Я старался выстроить тебе карьеру, у тебя в Англии куча зрителей, толпа поклонников, готовых платить, что бы ты ни делала, хоть справочник подряд читай, тебя начинают ценить почти по всей Европе, тебе платят неприличные по теперешним временам гонорары. Если этот фильм будет пользоваться успехом, на что я надеюсь, ты скоро станешь самой знаменитой актрисой поколения. Поэтому я прошу тебя проявить терпение. Согласна? Пройдет две-три недели — и предложения из Америки посыплются, как капли этого проклятого дождя за окном. Ты будешь причислена к сонму великих.

— Великих дур, улыбающихся до ушей, когда им тоскливо до чертиков?

Крестон выпрямился в кресле и прокашлялся.

— И этих, и других счастливиц. — И добавил, повысив тон: — Не желаю больше видеть тебя с такой грустной физиономией! Давая интервью, вы с мужем станете ближе друг другу. Во время рекламной кампании вам придется столько улыбаться, что в конце концов вы втянетесь в эту игру.

Миа шагнула к книжному шкафу, открыла лежавший на полке портсигар и взяла сигарету.

— Ты забыла, что я терпеть не могу, когда курят у меня в кабинете?

— Тогда зачем тут портсигар?

— На всякий случай.

Миа полоснула Крестона взглядом и села, закурив сигарету.

— Кажется, мне изменяют.

— Все в наши дни так или иначе становятся жертвами измены, — рассеянно обронил он, изучая почту.

— Я серьезно.

Крестон оторвался от чтения.

— В каком смысле изменяют? Я хочу сказать — время от времени или постоянно?

— Это что-то меняет?

— А ты сама никогда ему не изменяла?..

— Нет. То есть да, всего разок. Мой партнер великолепно целовался, и мне стало завидно. Я стремилась к естественности сцены — разве это измена?

— Намерение — вот что важно. Как назывался тот фильм? — осведомился Крестон, приподнимая бровь.

Миа отвернулась к окну. Агент вздохнул.

— Что ж, предположим, он действительно тебе изменяет. Какое это имеет значение, если вы все равно друг друга разлюбили?

— Он меня разлюбил, а я его — нет.

Крестон выдвинул ящик стола, достал пепельницу, чиркнул спичкой. Миа выпустила длинную струю дыма, и он засомневался, не от дыма ли у него щиплет глаза. Раздумывать над этим вопросом он не стал.

— Он был звездой, ты — дебютанткой. Он решил поиграть в Пигмалиона, но ученица превзошла учителя. При его самомнении с этим трудно смириться. Не стряхивай пепел куда попало, я люблю свой ковер.

— Ничего подобного!

— Представь, так и есть. Я не говорю, что он плохой актер, но...

— Что — но?

— Сейчас неудачный момент, вернемся к этому разговору позже. У меня сегодня много встреч.

Крестон прошелся по кабинету, аккуратно забрал у Миа сигарету и раздавил ее в пе-

пельнице. Потом взял Миа за плечо и повел к двери.

— Скоро ты будешь играть всюду, где пожелаешь: в Нью-Йорке, Лос-Анджелесе, Риме. А пока смотри не наделай глупостей. Потерпи всего месяц, о большем я тебя не прошу. От этого зависит твое будущее. Обещаешь?

———————

Выйдя от Крестона, Миа взяла такси и поехала на Оксфорд-стрит. Когда ей делалось грустно — а в последнее время с ней такое случалось регулярно, — она отвлекалась, гуляя по этой оживленной улице.

Бродя по галереям торгового центра, она сделала попытку дозвониться Дэвиду, но у него включился автоответчик.

Чем это он занят в разгар дня? Где пропадает уже вторые сутки? Два дня и две ночи от него не было вестей, если не считать лаконичного сообщения на автоответчике их домашнего телефона: он едет за город, ему нужно восстановить силы, ей не о чем беспокоиться... Его слова вызвали у нее еще большее беспокойство.

Дома Миа постаралась взять себя в руки. Когда Дэвид вернется, ей нельзя показывать ни малейших признаков тревоги. Сохранять достоинство, самообладание, не подавать виду, что она по нему скучала, и главное — не задавать никаких вопросов.

Ей позвонила подруга с предложением вместе пойти на открытие нового ресторана. Она согласилась и решила появиться там во всем блеске. Она сумеет вызвать у Дэвида ревность! И вообще, лучше оказаться в компании незнакомых людей, чем сидеть дома в глухой тоске.

Ресторан был огромный, музыка слишком громкая, зал битком набит: ни поговорить, ни шагу ступить — обязательно с кем-нибудь столкнешься. «Неужели находятся любители так проводить вечера?» — подумала она, собираясь с духом, прежде чем нырнуть в это людское море.

Входящих ослепляли вспышки фотокамер. Так вот почему подруге так хотелось прийти сюда именно с ней! Чтобы попасть на страницу светской хроники в каком-нибудь глянцевом журнале. Получить свою минуту славы. *Черт бы тебя побрал, Дэвид, зачем ты заставляешь меня скучать в одиночестве в подобных местах? Тебе, видите ли, силы нужно восстановить... Погоди, ты за это поплатишься!*

16

Зазвонил телефон, но номер звонящего не определился. В такой час это почти наверняка он. В подобном гвалте ничего не расслышишь! Будь она снайпером, чертов диджей получил бы пулю в лоб.

Она огляделась. Одинаковое расстояние отделяло ее от входа и от кухни. Толпа уносила ее все дальше от дверей, но она решила грести против течения. Прижала телефон к уху и прокричала:

— Подожди, не отключайся! *Ты же, дорогая, вроде собиралась хранить спокойствие, разве нет?*

Пробить себе дорогу, отпихнув какую-то куклу на высоченных каблуках и вьющегося вокруг нее придурка. Отдавить ноги этой вертлявой тощей вешалке, обогнуть хищно уставившегося на нее мажора. *Приятно тебе повеселиться, старина, твоя соседка, похоже, – собеседница что надо!* Еще десяток шагов — и вот наконец дверь.

— Только не отключайся, Дэвид! *Да заткнись же, идиотка!*

Она устремила умоляющий взгляд на вышибалу: только бы отсюда вырваться!

Вот она и на свободе! Свежий воздух, на улице довольно тихо... Подальше от густой толпы жаждущих проникнуть в ад!

— Дэвид?

— Где ты?

— На приеме... *Вот наглец, еще задает такой вопрос!*

— Развлекаешься, дорогая?

— *Лицемер!* Да, здесь забавно... *Откуда у тебя это самодовольство? А ты?.. Тупица!* Ты сам где? *Причем уже два дня!*

— Еду домой. Ты скоро вернешься?

— Я уже в такси. *Поймать такси! Скорее!*

— Я думал, ты на приеме.

— Когда ты позвонил, я уже выходила.

— Тогда ты, скорее всего, приедешь раньше меня. Если устала, то не жди меня, тут сплошные заторы, даже в такой поздний час. В Лондоне стало совершенно невыносимо. Не проедешь!

Это ты стал невыносим! Как ты смеешь мне советовать не ждать тебя? Уже два дня я только и делаю, что жду!

— Я оставлю в спальне свет.

— Чудесно! Целую. До встречи.

Блики света в лужах на тротуаре, парочки под дождем...

А я одна, как последняя дура. Ничего, завтра начну новую жизнь, и плевать на кино. Нет, не завтра, сегодня!

2

Париж, два дня спустя

— Почему дверь всегда отпирается самым последним ключом в связке? — возмущенно воскликнула Миа.

— Потому что жизнь скроена кое-как. Разве иначе на лестничной клетке перегорела бы лампочка?

Дейзи ворча пыталась осветить замочную скважину включенным мобильным телефоном.

— Хватит с меня чужих выдумок, теперь мне подавай реальность: я нуждаюсь в чем-то настоящем, просто настоящем.

— А мне бы не помешало более определенное будущее, — вздохнула Дейзи. — Что, не получается? Тогда давай сюда ключи, а то у меня садится батарейка.

Последний ключ в связке и правда подошел. Войдя в квартиру, Дейзи первым делом щелкнула выключателем, но свет не загорелся.

— Кажется, весь дом утонул в темноте.

— Вместе со всей моей жизнью, — буркнула Миа.

— Не будем преувеличивать.

— Я не умею жить во лжи, — не унималась Миа. Ее тон взывал к снисхождению, но Дейзи слишком давно ее знала, чтобы согласиться участвовать в игре.

— Не болтай ерунду. Ты талантливая актриса, а значит, профессиональная лгунья... Где-то у меня были свечи. Надо их найти, а то вдруг батарейка моего айфона сейчас...

Экран телефона снова загорелся.

— Как насчет того, чтобы послать их всех куда подальше? — спросила Миа шепотом.

— Как насчет того, чтобы немного мне помочь?

— Я готова, но ни черта же не видно!

— Теперь мне полегчало: ты осознала сложившуюся ситуацию!

Дейзи, двигаясь на ощупь, приблизилась к столу и пошарила на нем. Обходя его, она повалила стул, тихонько выругалась, нащупала у себя за спиной кухонный стол. Так же ощупью она добралась до газовой плиты, взяла с полки спички, повернула кран и зажгла одну конфорку. Ее озарило синим светом.

Миа устало присела за стол.

Дейзи обшарила один за другим все ящики. Ароматические свечи в ее доме не могли прижиться. Ее страсть к гастрономии диктовала свои правила: ничто не должно примешиваться к аромату изысканных блюд. Некоторые рестораторы вешают на своих дверях уведомления, что не принимают к оплате кредитные карты, а Дейзи охотно перекрыла бы вход в свой дом обильно надушенным особам.

Наконец она отыскала и зажгла свечи. Их свет рассеял темноту.

Главным местом в квартире Дейзи была кухня. Именно здесь протекала вся жизнь. Кухня превосходила размерами две комнатушки, отделенные от нее ванной комнатой. На рабочем столе выстроилась батарея глиняных сосудов, в которых хранился тимьян, лавровый лист, розмарин, сушеный укроп, душица, монарда и жгучий перец. Кухня была лабораторией Дейзи, источником упоения и отдушиной. Здесь она отрабатывала новые рецепты, прежде чем побаловать посетителей своего ресторанчика на Монмартре, в двух шагах от дома.

Дейзи не получила специального образования, мастерство она унаследовала от предков и своей родной земли — Прованса. В детстве, пока сверстники резвились в тени сосен и олив, она наблюдала за тем, как готовит мать, и перенимала ее приемы. В саду рядом с семейным домом она училась сортировать травы, а в кухне, у плиты, — находить им применение. Приготовление еды было для нее равносильно самой жизни.

— Хочешь есть? — спросила она Миа.

— Может быть. Сама не знаю.

Дейзи достала из холодильника тарелку с лисичками и пучок петрушки, оторвала головку чеснока от связки, висевшей справа от нее.

— Без чеснока никак? — спросила Миа.

— Ты сегодня вечером собираешься с кем-то целоваться? — вскинула голову Дейзи, нарезая петрушку. — Расскажи, пока я готовлю.

Миа глубоко вздохнула.

— Нечего рассказывать.

— Ты появляешься перед самым закрытием моего бистро с дорожной сумкой и с таким выражением лица, будто рухнул мир. И с той минуты ноешь не переставая. Я сделала вывод, что ты приехала повидаться со мной не потому, что соскучилась.

— Мой мир действительно рухнул.

Дейзи застыла с ножом в руке.

— Я тебя умоляю, Миа! Я готова все выслушать, только чур без вздохов и стенаний, здесь нет кинокамер.

— Из тебя получился бы отличный режиссер! — сердито бросила Миа.

— Возможно. Я слушаю.

Пока Дейзи возилась у плиты, Миа уселась за стол.

23

Когда дали свет, подруги вздрогнули от неожиданности. Дейзи повернула выключатель-диммер, снизив яркость ламп, потом открыла электрические жалюзи. Из окон квартиры открывался прекрасный вид на Париж.

Миа подошла к окну.

— У тебя есть сигареты?

— Возьми на столике. Не знаю, кто их там оставил.

— Наверное, у тебя много любовников, если ты не уверена, кто из них забывает у тебя сигареты?

— Если хочешь курить, ступай на балкон.

— Ты пойдешь со мной?

— А у меня есть выбор? Очень хочется услышать продолжение!

— Так ты оставила свет в спальне? — спросила Дейзи, подливая подруге вина.

— Да, но не в гардеробной. Там я «забыла» табурет, чтобы он об него споткнулся.

— Надо же, у вас есть гардеробная! Что было потом?

— Я притворилась спящей. Он разделся в ванной, долго стоял под душем, потом улегся и потушил свет. Я ждала, что он хоть что-то шепнет, поцелует меня. Наверное, он восстановил не все силы, потому что сразу уснул.

— Хочешь знать мое мнение? Впрочем, хочешь или нет, я все равно скажу. Муж у тебя — подлец. Остается ответить на простой вопрос: наделен ли он качествами, заставляющими закрывать глаза на его недостатки. Хотя нет, правильнее спросить, почему ты в него по-прежнему влюблена, раз он делает тебя такой несчастной. Если только ответ не лежит на поверхности: ты влюблена в него как раз потому, что он делает тебя несчастной.

— Сначала я была с ним совершенно счастлива.

— Надеюсь. Если бы все было плохо с самого начала, то из книжек испарились бы прекрасные принцы, а вместо романтических комедий стали бы снимать фильмы ужасов. Не смотри на меня так, Миа. Если хочешь выяснить, изменяет ли он тебе, спрашивай его самого, а не меня. И положи ты сигарету, слишком много куришь! Это всего лишь табак, а не любовь.

По щекам Миа побежали слезы. Дейзи уселась рядом с ней и крепко обняла.

— Поплачь! Хмель уйдет, и ты успокоишься. Любовные огорчения лишают покоя, но настоящая беда — это когда жизнь превращается в пустыню.

Миа клялась себе, что при любых обстоятельствах сохранит достоинство, но с Дейзи было трудно сдерживаться. Такая дружба, как у них, с такой долгой историей, — это братство по добровольному выбору.

— Почему ты говоришь о пустыне? — пролепетала она, вытирая слезы.

— Это ты так спрашиваешь, как дела у меня?

— Ты тоже чувствуешь себя одинокой? Думаешь, мы когда-нибудь найдем свое счастье?

— Тебя-то, мне кажется, оно в последние годы не обходило стороной. Ты известная, признанная актриса, за одну картину тебе платят столько, сколько мне не заработать за всю жизнь, к тому же ты замужем. Ты видела вечернюю газету? Тебе не на что жаловаться.

— А что, случилось что-нибудь?

— Понятия не имею. Была бы какая-то радостная новость — люди вышли бы праздновать на улицы. Как тебе мои лисички?

— Твоя еда — лучшее на свете средство от депрессии.

— А почему мне, по-твоему, захотелось стать шеф-поваром? Все, теперь марш в постель! Завтра я позвоню этому кретину, твоему мужу, и сообщу ему, что тебе все известно: он изменил жене, наплевав на ее гениальность, и она от него уходит — не к другому, а из-за его кретинизма. Когда я повешу трубку, несчастным станет он.

— Ты же этого не сделаешь?

— Нет, ты сама это сделаешь.

— Не могу, хотя очень хочется.

— Почему? Тебе больше нравится дешевая мелодрама?

— Дело в том, что мы с ним исполнили главные роли в высокобюджетном фильме, который выходит на экраны через месяц. Там я всем довольна и счастлива. Если станет известна правда обо мне и Дэвиде, кто же поверит нашей экранной паре? Продюсеры не простят мне предательства, мой агент тоже. И потом, я хочу быть здравомыслящей обманутой женой, мне не нужно публичное унижение.

— Какой же мерзкой лгуньей надо быть, чтобы играть такую роль!

— А зачем я к тебе, по-твоему, приехала? Мне самой долго этого не вынести. Приюти меня.

— Надолго?

— Сколько выдержишь.

3

На Порт-де-ла-Шапель кабриолет «сааб» од- ним махом перестроился через три полосы, не обращая внимания на возмущенно ми- гающие фарами другие автомобили, ушел с окружной и помчался по автостраде А1 в на- правлении Руасси — Шарль де Голль.

— Почему именно я все время забираю его из аэропорта? Клянусь, за тридцать лет дружбы он ни разу не ответил мне взаимно- стью! Слишком я добрый, в этом все дело! Если бы не я, они бы вообще не были вме- сте. Простого «спасибо» и то от них не до- ждешься, — возмущенно бормотал себе под нос Пол, поглядывая на себя в зеркало заднего вида. — Да, я крестный отец Джо, но кого еще они могли выбрать? Пильгеса? Ни за что, тем

более что его жена и так уже стала крестной
матерью. Вот я и говорю: вечно я всем оказы-
ваю услуги, всю жизнь только этим и занимаюсь. Не то чтобы меня это огорчало, но я
был бы не против, если бы и мне кто-нибудь
уделил хоть немного внимания. Взять хотя бы
Лорэн: когда я жил в Сан-Франциско, она хоть
раз познакомила меня с какой-нибудь студент-
кой-медичкой? А ведь у нее в больнице они
бродили табунами, как и экстерны, между
прочим. Но нет, никогда! У них, видите ли,
нечеловеческий график! Если этот тип сзади
еще раз мигнет мне фарами, я ему голову ото-
рву! Надо прекращать разговаривать с самим
собой, Артур прав, меня того и гляди примут
за психа. С другой стороны, с кем мне еще разговаривать? С персонажами своих романов?
Нет, прекращай эту ерунду, ты что, старина?
Это дряхлые старики разговаривают сами
с собой. Остаются одни — и давай болтать!
Или трещат без умолку, когда собираются
вместе. Или надоедают нравоучениями внукам. У меня самого будут когда-нибудь дети?
Я ведь тоже состарюсь...

И он снова посмотрел на себя в зеркало.

«Сааб» замер перед автоматическим шлаг-
баумом. Пол взял талон, сказал автомату «спасибо» и поднял стекло.

Судя по табло прилетов, рейс «Эр Франс» № 83 прибыл по расписанию. Пол изнывал от нетерпения.

В зал уже выходили первые пассажиры. Пока что маленькая горстка — вероятно, первый класс.

После издания первого романа Пол решил временно оставить свою карьеру архитектора. Писательство подарило ему свободу, о какой он раньше и не подозревал. Все получилось само собой. Ему просто нравилось заполнять буквами страницы. Их насчитывалось почти три сотни, когда он напечатал слово «конец». Вечер за вечером он ощущал себя пленником своего повествования, почти перестал выходить из дому и ужинал чаще всего перед компьютером.

Зато по ночам Пол переносился в воображаемый мир, где чувствовал себя счастливым в обществе персонажей, ставших его закадычными друзьями. Под его пером становилось возможно буквально все.

Когда текст был завершен, он оставил его валяться на письменном столе.

Его жизнь полетела кувырком спустя несколько недель, когда Артур и Лорэн напросились к нему на ужин. В какой-то момент Лорэн позвонили из больницы, и она попросила у Пола разрешения уединиться в его кабинете. А Пол с Артуром, дескать, смогут свободно поболтать в чисто мужской компании.

Заскучав от многословных речей собеседника, Лорэн нашла на столе рукопись и стала лениво листать страницы и вскоре забыла, о чем беседовала с коллегой.

Профессор Краус уже повесил трубку, а Лорэн никак не могла оторваться от чтения. Прошел добрый час, прежде чем Пол просунул голову в дверь, чтобы проверить, все ли в порядке. И увидел, что она по-прежнему сидит за столом, широко улыбаясь.

— Я тебе помешал? — спросил он.

Лорэн подскочила от неожиданности:

— Чтоб ты знал, это потрясающе!

— Тебе не кажется, что сначала нужно было попросить у меня разрешения?

— Можно я заберу это с собой и дочитаю?

— Нормальные люди не отвечают вопросом на вопрос.

— Значит, я ненормальная. Можно?

— Тебе действительно нравится? — недоверчиво спросил Пол.

— Действительно, — заверила его Лорэн, собирая страницы.

Она забрала рукопись и молча прошествовала мимо Пола в гостиную.

— Разве я ответил «да»? — спросил он, следуя за ней по пятам.

Она шепотом, на ухо, попросила его ничего не рассказывать Артуру.

— Что еще за «да»? — взволновался тот, приподнимаясь с дивана.

— Уже не помню, — отмахнулась Лорэн. — Ну что, пошли?

Прежде чем Пол опомнился, Артур и Лорэн вышли за дверь и, уже стоя на лестнице, поблагодарили его за чудесный вечер.

Наконец вышла целая толпа пассажиров — человек тридцать. Однако тех, кого Пол приехал встречать, среди них не оказалось.

Что они там копаются? Пылесосят за собой салон? Чего мне, собственно, недостает здесь, в Париже? Дома в Кармеле... Поездок туда по выходным, их общества, закатов на пляже... С тех пор минуло уже почти семь лет. Куда утекли все эти годы? Друзья — вот кого мне недостает больше всего. Видеозаписи — это, конечно, лучше, чем ничего, но разве их сравнить с объятиями любимых людей, с ощущением их присутствия? Обязательно надо будет поговорить с Лорэн о своих постоянных головных болях: это ее специализация. Нет, она, чего доброго, назначит обследование, а это простая мигрень: далеко не у всех, кто мучается мигренями, опухоль мозга. В общем, там видно будет. Когда они выйдут, в конце-то концов?!

———

На Грин-стрит было безлюдно. Поставив «форд»-универсал на стоянку, Артур вышел и открыл дверцу Лорэн. Они вместе поднялись по лестнице на последний этаж викторианского домика, где жили. Редко случается, чтобы пары жили в одной квартире, прежде чем познакомиться, но тут был особый случай — и совершенно другая история...

Артуру предстояло доделать эскизы проекта для важного клиента. Он попросил у Лорэн прощения, поцеловал ее и уселся за рабочий стол. Лорэн без промедления юркнула под одеяло и погрузилась в чтение рукописи Пола.

Артур то и дело слышал из-за стены ее смех, всякий раз смотрел на часы и снова брался за карандаш. Позже, уже ночью, смех сменился всхлипами. Он встал, осторожно приоткрыл дверь и увидел, что жена сидит в постели, увлеченная чтением.

— Что с тобой? — испуганно спросил он.

— Ничего, — ответила она, закрывая рукопись и беря с ночного столика бумажный платок.

— Скажи, что тебя расстроило?

— Я не расстроена.

— У кого-то из твоих больных ухудшение?

— Нет, с ними все чудесно.

— Почему же ты плачешь?

— Ты уже ложишься?

— Сначала объясни, отчего ты не спишь.

— Не знаю, вправе ли я...

Артур уселся рядом с Лорэн, решив добиться от нее признания.

— Это из-за Пола, — выдавила она.

— Он заболел?

— Нет, написал...

— Что он там написал?

— Я должна попросить у него разрешения, прежде чем...

— У нас с Полом нет друг от друга секретов.

— Похоже, что есть... Не настаивай, лучше ложись спать, уже поздно.

Следующим вечером Лорэн позвонила Полу в архитектурную мастерскую.

— Мне надо с тобой поговорить. Моя смена заканчивается через полчаса, давай встретимся в кафетерии напротив больницы.

Озадаченный Пол надел пиджак и вышел из кабинета. Перед лифтом он столкнулся с Артуром.

— Ты куда?

— В больницу, за женой.

— Можно мне с тобой?

— Ты заболел, Пол?

— Объясню по дороге. Скорее, какой ты медлительный!

Когда Лорэн появилась на больничной стоянке, Пол бросился к ней. Артур немного за ними понаблюдал, потом решил подойти.

— Встретимся дома, — бросила ему Лорэн. — Нам с Полом надо потолковать.

И, оставив Артура в недоумении, они исчезли за дверьми кафетерия.

— Ты прочла? — спросил Пол, отпустив официантку.

— Дочитала вчера вечером.

— Понравилось?

— Очень. Я узнала многое о себе самой.

— Знаю. Наверное, я должен был попросить твоего разрешения, прежде чем все это писать.

— Во всяком случае, мог бы.

— Не бойся, никто, кроме тебя, этого не прочтет.

— Именно это я и хотела с тобой обсудить. Ты должен предложить роман какому-нибудь издательству. Уверена, тебя опубликуют.

Пол ничего не желал слышать. Во-первых, он не мог себе представить, что его рукопись способна привлечь внимание какого-либо издательства, а во-вторых — и это главное, — не мог смириться с мыслью, что написанное им станет читать чужой человек.

Лорэн использовала все мыслимые доводы, но Пол упорно стоял на своем. Уходя, Лорэн попросила разрешения поделиться секретом с Артуром, но Пол сделал вид, будто не услышал ее просьбы.

Вернувшись домой, она дала рукопись Артуру.

— Держи! — сказала она. — Сначала прочти, потом обсудим.

Настала очередь Лорэн слушать смех, потом гадать в тишине, какие чувства Артур испытывает, читая те или иные фрагменты. Через три часа она, не выдержав, пришла к нему в гостиную.

— Ну как?

— Он, конечно, вдохновлялся нашей историей. Но мне очень понравилось.

— Я посоветовала ему послать рукопись в какое-нибудь издательство, но он и слышать об этом не желает.

— Могу его понять.

С того дня молодая докторша стала одержима идеей издать сочинение Пола. Она пользовалась любым случаем, чтобы обсудить это с ним и при встрече, в каждом телефонном разговоре задавала ему один и тот же вопрос: отправил ли он свою рукопись? Пол упорно отвечал «нет» и умолял оставить его в покое.

Как-то под вечер в воскресенье на сотовый телефон Пола позвонили. Это была не Лорэн, а редактор из издательства «Саймон энд Шустер».

— Совершенно не смешно, Артур! — раздраженно рявкнул в трубку Пол.

Собеседник удивился. Он объяснил, что только что дочитал роман. Произведение ему понравилось, и он желает познакомиться с автором.

Недоразумение затянулось, Пол упрямо отшучивался. Редактор сначала смеялся, но потом ему надоел разговор в таком стиле, и он предложил Полу в понедельник прийти к нему в кабинет и убедиться, что это не розыгрыш.

Пол недоумевал:

— Как к вам попала моя рукопись?

— Мне передал ее один знакомый.

Редактор продиктовал Полу адрес и повесил трубку. Пол принялся расхаживать по квартире.

Оставаться в четырех стенах он не мог, а потому прыгнул в «сааб» и помчался через весь город в Мемориальный госпиталь Сан-Франциско.

В отделении неотложной помощи он потребовал немедленной встречи с Лорэн. Дежурная медсестра заметила, что на больного он не похож. Пол окинул ее злобным взглядом: в его жизни «скорая» не всегда выполняла строго медицинские функции. Он потребовал, чтобы Лорэн явилась сию же секунду, иначе он устроит скандал. Дежурная позвала охранника. Все обошлось. Лорэн, заметив Пола, бросилась к нему:

— Что ты здесь делаешь?

— У тебя есть друг-издатель?

— Нет, — ответила она, внимательно разглядывая носки своих туфель.

— А у Артура?

— Тоже нет.

— Опять одна из ваших шуточек?

— На сей раз никаких шуток.

— Что ты натворила?

— Ничего плохого. Решение по-прежнему за тобой.

— Может, объяснишь?

— У одного моего коллеги есть друг-редактор, я передала ему рукопись, чтобы он высказал свое независимое мнение.

— Ты не имела права этого делать!

— Помнится, однажды ты тоже обошелся без моего разрешения, и, как видишь, сегодня я признательна тебе за это. Я немного ускорила ход событий, и что с того? Повторяю, решение за тобой.

— Какое решение?

— Поделиться ли тем, что ты написал, с другими людьми. Ты не Хемингуэй, но твоя история может сделать счастливее людей, которые ее прочтут. В наше время это уже неплохо. А теперь извини, у меня полно работы.

Прежде чем скрыться за дверью, она оглянулась:

— Главное — не смей меня благодарить!

— За что мне тебя благодарить?

— Сходи на встречу, Пол, не упрямься. Артуру я еще ничего не говорила.

Пол повстречался с редактором, которому понравился его роман, и не устоял перед его предложением. Всякий раз, когда редактор произносил слово «роман», Полу было трудно понять, что речь идет об истории, которая заполняла его ночные часы в ту пору, когда его жизнь была не слишком счастливой.

Спустя полгода роман напечатали. На следующий день после выхода тиража он ехал в лифте с двумя коллегами-архитекторами: те держали в руках его книгу. Они поздравили Пола, тот, ошарашенный, дождался, пока они выйдут, спустился вниз, вышел на улицу и отправился в кафе, где каждое утро завтракал. Официантка попросила его подписать книгу: она тоже успела ее купить. Пол дрожащей рукой нацарапал несколько слов, поспешно заплатил по счету, пошел домой и принялся перечитывать свой роман. С каждой перевернутой страницей он все глубже вжимался в кресло, желая в нем утонуть и больше никогда не выбираться наружу. Он излил в этом повествовании частицу себя, своего детства, мечтаний, надежд, неудач. Не отдавая себе отчета в том, что делает, не предполагая, что когда-нибудь написанное прочтут незнакомые люди. Не говоря уж о тех, с кем он общается, работает. Теперь Пол, за добродушием и раскатистым голосом которого скрывалась болезненная стеснительность, застыл, широко раскрыв глаза, бессильно уронив руки и желая только одного: по примеру своего персонажа стать невидимкой.

Ему в голову пришла мысль скупить все поступившие в продажу экземпляры книги. Он позвонил редактору с намерением сообщить о своем плане, но тот, не дав произнести ни слова, осыпал его поздравлениями: утром в «Сан-Франциско Кроникл» напечатали хвалебную статью. Конечно, у критика нашлось за что пожурить автора романа, это был честный профессионал, но в целом газета сделала книге хорошую рекламу. Пол, не дослушав, отключился и помчался к ближайшему газетному киоску. В статье говорилось об ошибках, присущих любому первому роману, и, что было для Пола еще хуже, о смелости автора: он не побоялся, что его обвинят в излишней чувствительности. В наше время торжества цинизма над умом, писал журналист, в этом нельзя не усмотреть упорство и отвагу. Полу почудилось, что он на пороге смерти. Причем не скоропостижной кончины — она стала бы для него желанным избавлением, — а медленной удушающей агонии.

Его мобильный телефон разрывался: звонили с незнакомых номеров, но он не желал отвечать. В конце концов он выдрал из телефона батарейку, чтобы пропасть с экранов назойливых радаров. Он не пошел на устроенный издательством коктейль, на работу тоже перестал ходить и просидел взаперти до конца недели. Но и дома ему не было покоя: однажды вечером разносчик пиццы подсунул ему на подпись экземпляр романа, сказав, что узнал его по фотографии, которую показывали накануне в теленовостях. После этого примерно то же самое произошло на кассе в бакалее, и Пол залег в спячку. Только Артуру, ломившемуся к нему в дверь, удалось вытащить его из берлоги. В отличие от Пола, Артур был в восторге от происходящего. Он принес другу хорошие новости.

Его сочинение своей необычностью привлекло внимание прессы. Морин, ассистентка архитектурного бюро, с любовью подготовила обзор прессы. Большинство их клиентов уже прочли книгу и звонили, чтобы поздравить автора.

Звонил даже один кинопродюсер, а также — самое сладкое Артур приберег на конец — книготорговец из «Барнс энд Нобл», куда Артур по привычке заглядывал, с сообщением, что роман разбирают как горячие пирожки. В Силиконовой долине его успех был не так велик, но если распространение останется на прежнем уровне, то роман скоро разойдется по всей стране: книготорговец был в этом совершенно уверен...

Артур затащил Пола в ресторан и, устроившись за столиком на террасе, намекнул другу, что пора бы уже побриться и вообще обратить внимание на свою внешность, перезвонить издателю, уже оставившему на рабочем телефоне два десятка сообщений, а главное, не отказываться от счастья, дарованного жизнью, и предать забвению нынешний похоронный вид.

Пол долго отмалчивался, пока не смекнул, что обморок на публике только усилит интерес к его персоне. Одна узнавшая его женщина прервала их трапезу вопросом, автобиографичен ли роман. Это окончательно добило несчастного сочинителя.

Торжественным тоном Пол сообщил Артуру, что всю неделю он размышлял и пришел в результате к решению оставить друга хозяйничать в бюро по собственному усмотрению, а самому взять отгул на год.

— Это еще зачем? — осведомился потрясенный Артур.

«Чтобы исчезнуть», — подумал Пол. Но, предвидя неизбежную лекцию о моральных обязанностях, придумал сногсшибательный предлог:

— Хочу написать второй роман, ну, хотя бы попробовать...

Что мог Артур этому противопоставить?

— Раз ты этого действительно хочешь... Помню, когда мне было плохо, я на некоторое время уехал в Париж, а ты тем временем

43

взял на себя все наши дела. Куда ты намерен отправиться?

Пол, совершенно не знавший ответа на этот вопрос, ответил без размышлений:

— В Париж. Ты так расхваливал мне чудеса Города света, бистро, мосты, бурлящие жизнью кварталы и парижанок... Кто знает, вдруг мне повезет и обворожительная цветочница, чьи прелести ты так расписывал, до сих пор на прежнем месте?

— Не исключено, — отозвался Артур без всякого восторга. — Только на самом деле все было не так чудесно, как я рассказывал.

— Это потому, что ты тогда был не в лучшей форме. Мне просто нужно поменять обстановку, чтобы подстегнуть творческие способности... Ну, ты понимаешь.

— Ну, если только чтобы подстегнуть творческие способности... Когда думаешь ехать?

— Думаю устроить сегодня вечером ужин для вас. Приглашу Пильгеса с женой. Одним махом со всеми попрощаюсь, и уже завтра — здравствуй, Франция и красивая жизнь!

Намерение Пола чрезвычайно удручило Артура. Он мог бы возразить, что решение слишком поспешное, что для мастерской было бы лучше, чтобы он повременил несколько месяцев, а уж потом осуществлял свой план. Но дружеское чувство возобладало. Если бы подобный шанс представился самому Артуру, Пол сделал бы все, чтобы ему помочь, — он уже имел случай это доказать. Ничего, он как-нибудь справится один.

Попрощавшись с Артуром, Пол вернулся домой сам не свой от ужаса. Откуда он взял эту идею? Поселиться в Париже, да еще одному!..

Расхаживая по квартире, он старался найти доводы в пользу этой затеи, теперь представлявшейся ему идиотской и вообще невероятной. Например: чем он хуже Артура, он-то уже так делал? Второй аргумент, вытеснивший первый, касался парижанок, а третий сводился к тому, что он мог бы в конце концов засесть за второй роман, и вот его-то уж точно не стал бы печатать, вернее, напечатал бы, но только за границей. В общем, он уже мечтал, как вернется в Сан-Франциско, когда утихнет весь этот шум. Собственно, вся его аргументация резюмировалась словами: писатель, американец, холостяк... в Париже!

В Париже он прожил уже семь лет и настрочил еще пять романов. Устав от приключений с парижанками, изменчивый нрав которых так и остался для него непостижим, он вы-

45

брал холостяцкую жизнь, а может, холостяцкая жизнь выбрала его.

Следующие пять романов не имели того успеха, на который он надеялся, — во всяком случае, в Европе и Штатах они прошли почти незамеченными, зато по неведомым ему причинам пользовались огромной популярностью в Азии, особенно в Корее.

Уже несколько лет Пол состоял в любовной связи со своей корейской переводчицей. Кионг навещала его дважды в год, всякий раз не более чем на неделю. Он был увлечен ею сильнее, чем был готов признаться даже самому себе. Единственная проблема общения с ней состояла в его неумении подыскивать правильные слова.

Кионг была молчалива, а Пол ненавидел молчать. Он часто задавался вопросом, не для того ли взялся за перо, чтобы зачеркнуть безмолвие, заполнить чернилами все пробелы. Они с Кионг проводили вместе четырнадцать с половиной дней в году, считая дорогу из аэропорта и в аэропорт. Когда она прилетала, он часами ее рассматривал, не понимая, действительно ли она красива или только в его глазах. У нее было такое необычное лицо, а взгляд, когда они занимались любовью, — такой проницательный, что он уже начал побаиваться, не имеет ли дело с инопланетянкой.

Виделись они редко, но выработали свои привычки и традиции. Выбираясь в Париж, она любила бывать в кинотеатре на улице Аполлинера. Можно было подумать, что кинозал для нее важнее фильма, который там крутили. Еще она любила перейти через Сену по мосту Искусств, поесть мороженого в «Бертийоне» даже в разгар зимы. Ей нравилось читать французские газеты, пропадать в книжных лавках, гулять по Марэ и пешеходным дорожкам квартала Ле-Аль, ходить пешком вверх по улице Бельвиль, хотя куда проще было бы по ней спускаться. Нравилось в ясный денек попить чаю в саду Музея романтической жизни на улице Шапталь, осмотреть коллекцию Камондо на улице Монсо, нравилось получать в подарок от Пола цветы и по пути к нему домой составлять из них букет. Нравилось выбирать сыры на прилавке Ванно, сыровара, торговавшего плодами своего труда неподалеку от дома Пола, нравилось, когда Пол смотрел на нее и желал ее. Его книги нравились ей меньше, но они связали их прочными узами.

Когда Кионг была далеко, она занимала все его мысли — возможно, даже больше, чем когда она была рядом. Почему она была для него так неотразима, почему ему ее не хватало?

Стоило ему дописать очередной роман, как она заявлялась к нему. Не подверженная утомлению, наваливающемуся на всякого нормального человека после одиннадцатичасового перелета, она источала свежесть. Сначала был умеренный обед в одном и том же кафе «Ле Марше» на углу улиц Бретань и Шарло — неизменные яйца под майонезом, тартинка и мороженое ассорти (вероятно, он был волшебным средством, позволявшим легко пережить смену часовых поясов, и эта идея заслуживала научной проверки); затем — привычные расспросы о том, откуда родом куры, снесшие съеденные ею яйца (на случай, если кафе, не дай бог, закроется), а далее они шли в квартиру Пола. Кионг принимала душ, а затем усаживалась за его письменный стол и читала. Пол присаживался напротив, в ногах кровати, и смотрел на нее. Это было прискорбной тратой времени, потому что все время, пока читала, она сохраняла невозмутимость. Ему казалось, что от ее оценки романа будет зависеть, станет ли она с ним спать. Чем больше ее устраивало прочитанное, тем более обильными ласками она его потом одаривала. По этой причине, а также в ожидании емких комментариев своей переводчицы, которой Пол был обязан существенной частью своих доходов — ведь он зависел от своих корейских гонораров, — он предвкушал момент, когда она перейдет от интеллектуальных утех к плотским.

Он полюбил писать, полюбил жить за границей, полюбил визиты Кионг дважды в год, и даже если в остальное время, то есть почти весь год, расплачивался за такое существование одиночеством, считал новое устройство своей жизни почти безупречным.

49

Стеклянные двери раздвинулись, и Пол облегченно перевел дух.

Артур толкал перед собой тележку с багажом, Лорэн махала Полу изо всех сил.

4

50

Миа открыла глаза и потянулась. Ей потребовалось несколько минут, чтобы опомниться и определить свое положение в пространстве. Потом она встала, открыла дверь спальни и стала искать Дейзи. В квартире было пусто.

В кухне для нее был накрыт завтрак. На старой фаянсовой тарелке лежала записка: «Тебе нужно выспаться, когда сможешь, приходи ко мне в ресторан».

Миа включила электрический чайник и подошла к окну. Днем из него открывался еще более удивительный вид. Она задумалась, чем занять сегодняшний день и все последующие. Глядя на часы в панели плиты, она попыталась представить, чем занимается Дэвид, один ли он сейчас или вовсю пользуется ее отсутствием. Правильно ли она поступила, предоставив ему свободу, понадеявшись, что он по ней заскучает? Не лучше ли было бы занять территорию, попробовать снова его завоевать? Кто владеет ключами от таких загадок?

Миа не знала, чего ей хочется, зато точно знала, чего больше не хочет. Ей надоели сомнения, ожидание, молчание. Хотелось невероятных замыслов, таких, которые не позволяют сидеть сиднем, возвращают вкус к жизни, заставляют забыть, что значит просыпаться с камнем на душе.

Небо было затянуто облаками, но никакого дождя — уже хорошее начало. Вместо того чтобы бежать к Дейзи, она решила пройтись по улицам Монмартра, поторговаться в лавочках, может быть, даже заказать свой портрет одному из здешних многочисленных художников-карикатуристов. Это, конечно, вопиющий китч, зато сейчас как раз то, что ей надо. Здесь не Англия, здесь ее никто не узнает. Она стремилась воспользоваться свободой и делать все, что взбредет в голову.

Она порылась в своей дорожной сумке, соображая, что бы надеть, потом, поддавшись любопытству, стала обследовать квартиру своей лучшей подруги. Полки белых шкафов прогнулись под тяжестью книг. Она стащила сигарету из оставленной кем-то на столике пачки и задумалась, что за человек, который ее здесь забыл. Друг Дейзи, ее любовник? Мысль, что в жизни Дейзи есть мужчина, разбудила в Миа желание позвонить Дэвиду, вернуться назад, в дни перед съемками, когда ему вскружила голову актриса, игравшая эпизодическую роль; вероятно, такое и раньше случалось, но на глазах у Миа — впервые, и пережить это было нелегко. Она вышла на балкон, закурила и стала смотреть, как дотлевает ее сигарета.

Потом она уселась за письменный стол Дейзи. На нем стоял открытый ноутбук, но экран был заблокирован.

Она взяла свой мобильный телефон и стала перебрасываться с подругой сообщениями:

Какой у тебя пароль?
Мне надо проверить почту.

Ты не можешь прочитать
письма на смартфоне?

За границей — нет.

Скупердяйка!

Это твой пароль?

Ты это нарочно?

Так какой?

53

Я работаю. Резанец.

????

Это мой пароль.

яработаюрезанец?

Резанец, кретинка!

Такой пароль никуда не годится.

Ну и ладно. Смотри не копайся
в моих документах!

Это не в моих привычках.

Очень даже в твоих привычках!

Миа отложила телефон, напечатала волшебное слово, вошла в свой почтовый ящик и обнаружила там только письмо от Крестона: он спрашивал, куда она подевалась, почему не отвечает на звонки. Один модный журнал изъявил желание сделать о ней репортаж, и ему прочно потребовалось ее согласие.

Она написала:

*Дорогой Крестон,
я уехала на некоторое время и полагаюсь на вашу порядочность: никому про это не говорите, «никому» – значит, «ни единой душе». Чтобы выучить роль, которую вы заставляете меня ис-*

полнять, мне нужно побыть одной, без указаний режиссера, без фотографов, без ваших ассистенток, без вас самого. Два года я была лишена такой роскоши, как право на неповиновение. Для журнала мод я позировать не стану, нет желания. Среди решений, которые я приняла вчера вечером в поезде «Евростар», самое первое гласило: перестать подчиняться. Мне нужно доказать себе самой, что я на это способна. Мне потребуется как минимум несколько дней. В Париже хорошая погода, я буду гулять... Скоро я дам вам о себе знать. Не беспокойтесь, ни в коем случае не буду афишировать свое присутствие.

Всего хорошего,
Миа».

55

Она перечитала написанное и нажала на «отправить».

Заинтересовавшись мигающей стрелкой вверху экрана, она кликнула по ней и вытаращила глаза: открылась домашняя страница сайта знакомств.

Она дала Дейзи слово не копаться в ее компьютере, но сейчас решила, что обещание это слишком опрометчиво, к тому же Дейзи все равно ничего не узнает.

Она исследовала профили мужчин, отобранных подругой, похихикала, прочтя некоторые сообщения, обратила внимание на парочку интересных субъектов. Когда в квартиру заглянуло солнце, она решила, что пора покинуть волнующий виртуальный мир и окунуться в реальный, поджидавший ее снаружи. Она выключила компьютер и накинула висевшее на вешалке у входа легкое пальто.

Выйдя на улицу, она поднялась к площади Тертр, постояла перед картинной галереей, потом побрела дальше. На нее обратила внимание парочка туристов, женщина показала на нее пальцем и сказала мужу (Миа поневоле услышала ее слова): «Уверяю тебя, это она! Можешь сам подойти и спросить».

Миа ускорила шаг и зашла в первое же кафе. Пара застряла у витрины. Миа присела к стойке и заказала стакан воды, не отрывая взгляда от зеркала за спиной у бармена, в котором отражалась улица. Дождавшись, пока назойливая пара уберется, она заплатила и вышла на улицу.

Добравшись до площади Тертр, она стала наблюдать за работой художников. Через несколько минут к ней подошел молодой человек в джинсах и куртке, с приятной внешностью и добродушной улыбкой.

— Вы ведь Мелисса Барлоу? Я смотрел все ваши фильмы! — похвастался он на прекрасном английском.

Мелисса Барлоу был экранный псевдоним Миа Гринберг.

— Вы снимаетесь в Париже или приехали отдохнуть? — не отставал он.

Миа улыбнулась.

— Я нахожусь не здесь, а в Лондоне. Вы решили, что узнали меня, но это не я, а просто похожая на меня женщина.

— Прошу прощения? — озадаченно спросил он.

— Это я прошу вас меня простить. Наверное, мои слова показались вам бессмыслицей, а вот мне — наоборот. Не сердитесь, если я вас разочаровала.

— Как Мелисса Барлоу может меня разочаровать, раз она сейчас в Англии?

Молодой человек вежливо простился, отошел на несколько шагов, потом оглянулся.

— Если вам вдруг повезет столкнуться с ней на лондонской улице — мир ведь так тесен! — не забудьте передать ей от меня, что она потрясающая актриса.

— Я так и сделаю. Уверена, это доставит ей удовольствие. — Миа проводила его взглядом. — До свидания! — прошептала она.

Она нашла в сумке темные очки, еще немного прошлась и наткнулась на парикмахерскую. То, что Крестон устроит ей выволочку, не вызывало никакого сомнения, и это только укрепило ее в намерении осуществить задуманное. Она толкнула дверь, уселась в кресло и час спустя вышла на улицу коротко стриженной брюнеткой.

Желая испытать, сработает ли ее уловка, она уселась на ступеньки под собором Сакре-Кёр и стала ждать. Когда у паперти затормозил автобус с британскими номерами, Миа смешалась с вывалившими из него пассажирами и спросила, который час, у гида, смело представ перед всей группой. Из шести десятков англичан ни один ее не узнал. Она благословила свою прическу, подарившую ей новый облик. Наконец-то она превратилась в простую англичанку, наведавшуюся в Париж, в женщину без имени.

Пол дважды объехал квартал и в конце концов затормозил во втором ряду. Обернувшись к своим пассажирам, он широко улыбнулся.

— Чувствуете себя не в своей тарелке?

— А разве может быть по-другому при твоей манере вождения? — буркнул Артур.

— Ты уже видела Артура до того вечера, когда я из-за него два часа просидел скрючившись под операционным столом? — спросил Пол у Лорэн.

— Раз двадцать, — ответил за нее Артур. — А что?

— Ничего. Держите ключи. Вам на верхний этаж. Заносите свои чемоданы, я тем временем отгоню машину в гараж.

Лорэн и Артур распаковывали вещи в отведенной им комнате.

— Жаль, что вы не привезли Джо, — сказал со вздохом Пол, входя.

— Для ребенка его возраста это слишком дальнее путешествие, — объяснила Лорэн. — Он у своей крестной. Думаю, ему там нравится.

— У крестного ему понравилось бы еще больше.

— Мы мечтаем об отпуске вдвоем, — вмешался Артур.

— Возможно, только вы влюблены друг в друга уже давно, а я своего крестника вижу нечасто.

— Возвращайся в Сан-Франциско, будешь с ним видеться хоть каждый день.

— Хотите заморить червячка? Куда я задевал пирог?.. — Бормоча себе под нос, Пол обшаривал кухонные полки. — Не приснилось же мне, что я купил пирог?

Лорэн и Артур понимающе переглянулись.

Он напоил их кофе и изложил составленную им программу.

Погода стояла ясная, поэтому первый день предполагалось посвятить осмотру таких культовых парижских объектов, как Эйфелева башня, Триумфальная арка, остров Ситэ, Сакре-Кёр. В случае, если на все это не хватит времени, предполагалось продолжить экскурсию на следующий день.

— Как двое влюбленных... — напомнил Артур.

— Разумеется, — ответил Пол с некоторым смущением.

Лорэн перед подобным марафоном требовалось немного отдохнуть. У двух приятелей накопилось много тем для беседы, поэтому она предложила им пообедать без нее.

Пол решил пригласить Артура в кафе неподалеку от дома: в полдень его терраса была залита солнцем. Артур надел свежую рубашку и последовал за другом.

Усевшись, они некоторое время молча переглядывались, выжидая, кто заговорит первым.

— Ты здесь счастлив? — не вытерпел Артур.

— Да. Думаю, да.

— Думаешь?..

— Разве можно быть уверенным в своем счастье?

— Понимаю, это писательская фраза, но вопросы здесь задаю я.

— Какого ответа ты ждешь?

— Честного.

— Я люблю свое ремесло, даже если иногда ощущаю себя самозванцем. Ты же знаешь, я накропал всего шесть романов. Похоже, такое чувство посещает многих писателей, во всяком случае, в этом признаются многие мои коллеги.

— Ты часто с ними общаешься?

— Я записался в клуб сочинителей неподалеку отсюда и хожу туда раз в неделю. Мы болтаем о пустяках, обсуждаем, почему случаются застои в работе. Вечер завершается в пивном ресторане. Странно, я слушаю свой рассказ как бы со стороны, и он кажется мне мрачным.

— Не стану тебя разубеждать.

— А ты как поживаешь? Наше бюро процветает?

— Мы говорили о тебе.

— Я пишу: это мое единственное занятие. Иногда участвую в книжных салонах, иногда подписываю экземпляры своих книг в книжных магазинах. В прошлом году побывал в Германии и в Италии, там тоже понемногу продаются мои книги. Дважды в неделю посещаю спортзал. Терпеть это не могу, но при таком питании, как у меня, без спорта не обойтись. А так — пишу, но это я уже, кажется, говорил?

— До чего все это весело! — отозвался Артур ироничным тоном.

— Это ты брось! Счастье приходит по ночам: я встречаюсь со своими персонажами, и жизнь наполняется радостью.

— У тебя кто-то есть?

— И да и нет. Она бывает здесь нечасто, если уж на то пошло, но я постоянно о ней думаю. Тебе такое знакомо, верно?

— Кто она такая?

— Моя корейская переводчица. Ты удивлен? — воскликнул Пол, неубедительно изображая оживление. — Представь, в Корее я, похоже, пользуюсь популярностью! Никогда там не бывал, сам знаешь, я боюсь самолетов: до сих пор не отошел от перелета сюда.

— Это было семь лет назад!

— А кажется, будто вчера: одиннадцать часов турбулентности! Мука мученическая!

— Рано или поздно тебе придется отсюда улететь.

— Не факт, я уже обзавелся видом на жительство. А есть еще такой вариант, как корабль.

— А что твоя переводчица?

— Она потрясающая женщина, хотя я до сих пор ее толком не знаю. Год за годом я все сильнее к ней привязываюсь. Отношения на расстоянии — непростая штука.

— Мне кажется, ты очень одинок, Пол.

— Не ты ли заявил мне однажды, что одиночество — разновидность компании? И вообще, хватит обо мне! Давай лучше о вас. Покажи мне фотографии Джо. Он уже, наверное, совсем большой?

За соседний столик села очаровательная женщина. Пол не обратил на нее никакого внимания, чем насторожил Артура.

— Не смотри на меня так, — сказал ему Пол. — Интрижек я пережил больше, чем ты можешь себе представить, и потом, у меня есть Кионг. С ней все становится по-другому: у меня появляется чувство, будто я превращаюсь в самого себя, перестаю играть чужую роль, больше не обязан нравиться. Она изучает меня по моим книгам, и это, конечно, чересчур: как я подозреваю, они ей не нравятся.

— Никто же ее не заставляет их переводить!

63

— Она, похоже, немного переигрывает, чтобы меня раздразнить и заставить двигаться вперед.

— Пока суд да дело, ты живешь один.

— Не думай, что мне делать больше нечего, кроме как тебя цитировать, но не ты ли говорил: можно кого-то любить и оставаться одиноким?

— Согласись, у меня ситуация довольно необычная.

— У меня тоже.

— Ты у нас писатель, ты должен составить список того, что делает тебя счастливым.

— Да счастлив я, черт возьми!

— То-то я погляжу...

— Брось, Артур, не начинай подвергать меня психоанализу, терпеть этого не могу. К тому же ты ничего не знаешь о моей жизни.

— Мы с тобой знакомы с детства, мне не нужны подробные объяснения, чтобы догадаться, как тебе живется. Помнишь, что говорила моя мама?

— Она много чего говорила. Кстати, я был бы не прочь перенести место действия моего следующего романа в дом в Кармеле. Давненько я туда не наведывался...

— Кто в этом виноват?

— Знаешь, по чему я скучаю? — продолжал Пол. — По нашим прогулкам по Жирарделли-сквер и к Форту, по нашим вечерам и перебранкам в мастерской, по нашим планам на будущее, по нашим спорам, в которых мы никогда не могли прийти к согласию...

— Я виделся с Онегой.

— Она спрашивала обо мне?

— Да. Я рассказал, что ты теперь парижанин.

— Она по-прежнему замужем?

— Не заметил у нее на руке обручального кольца.

— Напрасно она меня бросила... Знаешь, — добавил Пол с улыбкой, — наша дружба вызывала у нее ревность!

————————

Миа прошлась среди карикатуристов на площади Тертр и выбрала самого симпатичного, можно сказать, красавца в холщовых штанах, белой рубашке и твидовом пиджаке. Она плюхнулась в раскладное кресло перед ним и попросила сделать изображение как можно ближе к оригиналу.

— «Единственная истинная любовь — это самолюбие», как говорил Саша Гитри, — хриплым голосом произнес художник.

MARC LEVY ★ Elle & lui

— Как же он прав!

— Несчастная любовь?

— Почему вы спрашиваете?

— Потому что вы одна и только что вышли от парикмахера. Как говорится, новая прическа — новая жизнь.

Миа озадаченно уставилась на него.

— Вы изъясняетесь одними цитатами?

— Я рисую портреты уже четверть века и научился читать по лицам. Вы милы и привлекательны, но вам бы не помешало немного веселья. Ладно, довольно болтать. Если вы хотите, чтобы мой карандаш точно передал сходство, сидите смирно.

Миа выпрямилась.

— В Париж развеяться? — спросил карикатурист, готовя уголек.

— И да и нет. Проведу несколько дней у подруги, она держит ресторанчик здесь неподалеку.

— Наверняка я ее знаю, Монмартр — как деревня.

— «Кламада».

— Так ваша подруга — та малютка из Прованса! Трудолюбивая девушка. Готовит изобретательно, кормит недорого. Не то что другие, которым только и надо, что заманить туристов. Иногда я у нее обедаю. Она особа с характером!

Глядя на руки художника, Миа заметила обручальное кольцо.

— Вам случалось желать другую женщину, кроме жены?

— Наверное. Так, мимолетный взгляд, только чтобы лишний раз убедиться, насколько я любил свою.

— Вы не вместе?

— Почему? Вместе.

— Тогда почему в прошедшем времени?

— Хватит разглагольствовать, я как раз рисую ваши губы.

Миа решила не мешать мастеру. Сеанс затянулся дольше, чем она предполагала. Когда портрет был готов, он предложил ей взглянуть на мольберт. Увидев на нем чужое лицо, Миа улыбнулась.

— Я действительно такая?

— Сегодня — да! — отчеканил художник. — Надеюсь, скоро вы заулыбаетесь так, как на моем рисунке.

Он вынул из кармана телефон, сфотографировал ее и сравнил фотографию с портретом.

— Неплохо! — похвалила его Миа. — Вы можете нарисовать портрет по такому фото?

— Думаю, да, если фотография четкая.

— Я принесу вам фотографию Дейзи. Уверена, она будет счастлива получить свой портрет, вы отличный рисовальщик!

Карикатурист наклонился и стал рыться в прислоненных к мольберту папках. Вытянув из одной широкий лист, протянул его Миа.

— Ваша подруга-ресторанша — само очарование, — сказал он. — Она каждое утро проходит мимо меня. Это подарок.

Миа залюбовалась лицом Дейзи. Это была не карикатура, а настоящий портрет, передававший ее облик и настроение.

— Взамен оставляю вам свой, — сказала Миа и простилась с художником.

Пол вел экскурсию в ускоренном темпе. С неподражаемой самоуверенностью он проигнорировал очередь, растянувшуюся у подножия Эйфелевой башни, сэкономив добрый час. На верхнем этаже у него закружилась голова, он вцепился в ограду и не стал приближаться к краю площадки, поклявшись, что уже знает эти виды наизусть, и предоставив Артуру и Лорэн наслаждаться ими вдвоем. Он спускался в лифте, зажмурив глаза, после чего обрел прежнее достоинство и повез друзей в сад Тюильри.

При виде детишек на карусели Лорэн почувствовала неукротимое желание позвонить Наталье и услышать голос сына. Плюхнувшись на скамейку, она поманила к себе Артура. Пол воспользовался передышкой и отлучился за сладостями. Пока Артур болтал с Джо, Лорэн наблюдала за Полом. Потом, не сводя с него глаз, она отняла у мужа трубку и засыпала сынишку словами любви, пообещала привезти ему подарок из Парижа и огорчилась, поняв, что ему только это и нужно. С крестной ему было очень весело.

Она посылала сыну поцелуи, прижимая телефон к уху, когда вернулся Пол, с трудом удерживая в одной руке три порции сахарной ваты.

— Ну, как он тебе? — спросила Лорэн шепотом.

— К кому ты обращаешься, ко мне или к Джо? — пробурчал Артур.

— Джо уже нажал отбой.

— Тогда зачем ты делаешь вид, будто продолжаешь телефонный разговор?

— Чтобы Пол не спешил возвращаться.

— По-моему, он счастлив, — ответил Артур.

— Лгун из тебя никудышный.

69

— Надеюсь, это не упрек?

— Нет, констатация факта. Ты заметил, что он беспрерывно бормочет?

— Это от одиночества, в котором он не желает сознаваться.

— У него никого нет?

— Я прожил в Париже холостяком четыре года.

— Ты же был влюблен в меня. Кстати, ты не забыл свое увлечение красавицей цветочницей?

— Он, между прочим, тоже влюблен. В кореянку, живущую в Корее. Думает поселиться вместе с ней. Его книги якобы пользуются там огромным успехом.

— В Корее?

— Да. Но я думаю, что это неправда и что это дурацкая идея.

— Почему? А вдруг он по-настоящему любит эту женщину?

— У меня впечатление, что она не любит его так, как он ее. Он панически боится летать, так что если все-таки отправится туда, то уже вряд ли вернется. Ты представляешь, как он будет жить в одиночестве там, в Корее? Париж и так достаточно далеко от Сан-Франциско.

— Ты не имеешь права ему мешать, если он этого действительно хочет.

— Зато имею право попытаться его переубедить.

— Мы случайно не о двух разных Полах говорим?

Пол, которому стало скучно одному, вернулся к ним решительным шагом.

— Можно мне поговорить с крестником?

— Он только что повесил трубку, — смущенно ответила Лорэн и, убрав телефон, попробовала отвлечь его лучезарной улыбкой.

— У вас что, опять какой-то заговор?

— Ничего подобного! — возмутился Артур.

— Не волнуйтесь, я не намерен все время вам досаждать. У меня другой план: получить удовольствие от вашей компании и быстро от вас отстать.

— Вот и мы хотим побыть в твоей компании, иначе зачем было приезжать в Париж?

Пол задумался: Лорэн рассудила здраво.

— А я заподозрил, что вы затеваете какую-то гадость. Так о чем вы болтали?

— Про один ресторанчик, куда мне бы хотелось повести вас обоих сегодня вечером, — ответил Артур. — Я был его завсегдатаем, когда жил в Париже. Но только на том условии, что ты дашь нам отдохнуть, а то уже осточертело изображать туристов.

Пол принял приглашение, и трое друзей зашагали в сторону улицы Риволи по аллее Кастильоне.

— Чуть подальше есть остановка такси, — сказал Пол, ступая на «зебру».

На светофоре зажегся зеленый сигнал, и Артурт с Лорэн не успели догнать Пола. Их разделил поток машин. Внимание Лорэн привлек рекламный слоган на борту остановившегося напротив автобуса: «В этом автобусе вы можете встретить женщину своей мечты, если только она не ездит в метро». Это была реклама интернет-сайта знакомств. Лорэн пихнула Артура локтем, и они проводили глазами автобус, после чего переглянулись.

— Ты о том же подумала? — чуть слышно спросил Артур.

— Не шепчи, вряд ли он нас услышит на другой стороне улицы.

— Чтобы он бродил по таким сайтам? Никогда!

— Кто говорит, что он сам должен это делать? — усмехнулась Лорэн. — Когда судьбу надо слегка подтолкнуть, друзья должны об этом позаботиться... Это ничего тебе не напоминает?

И она побежала по переходу, не дожидаясь Артура.

Миа надела очки в черепаховой оправе, куп-
ленные днем у антиквара. Через их толстые
стекла она мало что могла разглядеть.

Она толкнула дверь ресторана. Зал был
набит битком. Через широкое окно в стене
клиенты, облепившие столики, могли наблюдать, как Дейзи заправляет на своей кухне. Ее
повар не знал покоя. Дейзи разнесла полные
тарелки, исчезла, снова появилась и направилась к столику на четверых. Приняв заказы,
она удрала, задев на бегу Миа, но впопыхах
не обратив на нее внимания. На пороге кухни
она спохватилась и вернулась.

— Мне очень жаль, но у нас не осталось свободных мест, — сообщила она.

Миа, окосевшая в своих темных очках, проговорила настойчиво, изменив голос:

— Совсем ни одного местечка? Я могу подождать.

Дейзи с раздосадованным видом оглядела
зал.

— Вон те клиенты уже попросили счет, но,
судя по всему, они увлечены разговором... Вы
одна? Может, вас пока устроит табурет у стойки?

Она указала на место у бара. Миа кивнула
и вскарабкалась на табурет.

Ей пришлось ждать несколько минут.
Наконец Дейзи вышла из кухни, зашла за

стойку, положила перед Миа салфетку и приборы и отвернулась, чтобы взять бокал. Потом, подав меню, сообщила, что кончились гребешки и вообще почти все...

— Как жаль, я специально приехала из Лондона полакомиться вашими гребешками.

Дейзи пригляделась к разочарованной посетительнице и всплеснула руками.

— Ну ты и свинья! — воскликнула она. — Хорошо, что у меня ничего не было в руках, а то бы я все выронила и разбила! Больная на всю голову!

— Ты меня не узнала?

— Я на тебя толком и не смотрела. Что это ты выдумала?

— Не нравится?

— У меня нет времени, моя официантка взяла и уволилась, так что мне не до шуток. Если ты голодна, я тебя накормлю, а если сыта, то...

— Может, тебе помочь?

— Мелисса Барлоу в роли официантки? Час от часу не легче!

— Просто Миа. И пожалуйста, не ори!

Дейзи оглядела ее с головы до ног.

— Ты хоть сможешь удержать в руках тарелку?

— Мне доводилось играть официанток. Ты же знаешь, какая я перфекционистка. Я перед съемками долго тренировалась.

Дейзи колебалась. Звонок с кухни заставил ее поторопиться: клиенты нервничали, и она нуждалась в подкреплении.

— Сними свои дурацкие очки и ступай за мной!

Миа побежала за ней на кухню. Дейзи сунула ей фартук и указала на шесть тарелок под нагревательными лампами.

— Эти — на восьмой!

— Восьмой? — переспросила Миа.

— Столик справа от входа, за ним громкоголосый тип, будь с ним любезна, он постоянный клиент.

— Постоянный клиент... — повторила Миа, хватая тарелки.

— Для начала — не больше четырех штук сразу, пожалуйста!

— Так точно! — отозвалась Миа, хватая тарелки.

Отнеся первые четыре, она вернулась за остальными.

Дейзи избавилась от необходимости разносить заказы, и на ее кухне вновь установился привычный ритм. Когда было готово очередное блюдо, звенел звонок и наступала очередь

Миа. В промежутках она уносила грязные тарелки, принимала оплату и возвращалась за инструкциями. Дейзи насмешливо наблюдала за ней.

К одиннадцати часам вечера ресторан начал пустеть.

— Полтора евро чаевых — вот и все, что мне оставил твой постоянный клиент!

— Я не говорила, что он щедрый.

— А потом еще уставился на меня, ожидая благодарности!

— Надеюсь, ты его не разочаровала?

— Еще чего!

— Любопытно, когда тебя посетила нелепая мысль изменить внешность?

— Как только я узнала, что ты осталась без официантки. Значит, тебе не нравится...

— Это уже не ты, мне нужно привыкнуть.

— Ты давно не смотрела мои фильмы: я иногда выглядела еще хуже, чем сейчас.

— Мне приходится слишком много работать, так что не до кино, не сердись. Отнеси, пожалуйста, эти десерты. Мне не терпится закрыть лавочку и завалиться спать.

Миа безупречно доиграла свою роль, получив высокую оценку от своей подруги, прежде не верившей, что она способна на такие подвиги.

Последние посетители разошлись в полночь. Дейзи и ее повар навели порядок на кухне, Миа — в зале. После этого, опустив решетку на окне, они пошли по улицам Монмартра.

— И так каждый день? — спросила Миа.

— Шесть дней в неделю. Это очень утомительно, но я все равно не поменяла бы свое занятие ни на какое другое. Мне повезло, я нашла себя, хотя в последние дни месяца страшно выбиваюсь из сил.

— Народу полным-полно!

— Вечер удался.

— Что ты делаешь по воскресеньям?

— Отсыпаюсь.

— А как же личная жизнь?

— Где мне найти для нее место? Между моей холодной спальней и кухней не остается даже щелочки.

— Так ни с кем и не встречалась с тех пор, как открыла ресторан?

— Мужчины бывали, но не один не выдержал моего расписания. Вот ты живешь с человеком, занимающимся тем же, чем и ты. Кто бы стал терпеть твое отсутствие, когда ты уезжаешь на съемки?

— Можно сказать, с этим мужчиной я уже не живу.

Их шаги гулко разносились по безлюдной улице.

— Как бы нам обеим не превратиться в старых дев, — вздохнула Дейзи.

— Говори за себя, мне это не грозит.

— Шлюха!

— Если бы...

— И что мешает?

— А тебе что мешает? Между прочим, где ты берешь своих мужчин? Это клиенты ресторана?

— Никогда не смешиваю работу и любовь, — ответила Дейзи. — Только раз такое случилось. Он приходил часто, даже очень, пока до меня не дошло, что его привлекает не только моя кухня.

— И как он? — заинтересовалась Миа.

— Неплох, очень даже неплох!

Подойдя к своему дому, Дейзи набрала на двери код, включила свет и стала подниматься по лестнице.

— Неплох — это как?

— Обаятельный.

— А еще?

— Что ты хочешь узнать?

— Все! Как он тебя соблазнил, о вашей первой ночи, как долго длился ваш роман и чем завершился.

— Тогда дождись, пока мы вскарабкаемся на последний этаж.

Дейзи вползла в квартиру и упала на диван.

— Я совсем обессилела! Не заваришь чай? Похоже, это единственное, ради чего англичан стоит пускать на кухню.

Миа отдала подруге честь, налила в чайник воды и стала ждать, пока Дейзи выполнит свое обещание.

— Дело было в конце июля прошлого года, вечером. Ресторан был почти пуст, я уже собиралась выключить плиты, и тут входит он. Я заколебалась. Ничего не поделать, профессиональный долг пересилил. Повара и официантку я отпустила: с одним клиентом разобраться не проблема. Подаю ему меню, а он хватает меня за руку и просит выбрать, что мне самой нравится, и он очень признателен мне за то, что я ради него задержалась. Ну а я, кретинка, купилась...

— Почему кретинка?

— Пока он ел, я сидела напротив него и тоже что-то клевала. Странный он был, такой задорный! Решил помочь мне убрать со стола. Забавно же! Я не возражала. Мы закрыли ресторан, и он предложил выпить по стаканчику. Я согласилась. Мы сели на террасе какого-то кафе и давай обсуждать проблемы мироздания. Он оказался знатоком высокой кухни, причем самым настоящим. Признаться, я поверила в чудо. Он проводил меня до дома и не рвался подняться наверх, на прощанье мы скромно поцеловались. В общем, я повстречала само совершенство. Мы больше не расставались, он приходил под конец рабочего дня, помогал мне закрыть ресторан. Я проводила с ним воскресные дни. Так продолжалось до конца лета, пока он не заявил, что больше встречаться со мной не может.

— Почему?

— Потом что вернулись после каникул его жена с детьми. Буду тебе признательна, если ты воздержишься от комментариев. А теперь — в ванную и спать. — С этими словами Дейзи закрыла за собой дверь спальни.

———————

Выйдя из «Ами Луи», Лорэн восторженно застыла перед старыми фасадами улицы Вербуа.

— На тебя подействовала прелесть Парижа? — осведомился Пол.

— Трапеза в духе Гаргантюа, которой мы только что наслаждались, подействовала без всякого сомнения, — ответила она.

Они вернулись домой на такси. Пол пожелал друзьям спокойной ночи и поспешил запереться у себя в кабинете: ему не терпелось сесть за работу.

Лорэн улеглась в постель со своим «Макинтошем». Артур вышел из ванной спустя десять минут и тоже юркнул под одеяло.

— Проверяешь почту в такой поздний час? — удивился он.

Она положила компьютер на колени. Пока крайне изумленный Артур разбирался в том, что она затеяла, она весело смеялась. Он поневоле вновь перечитал первые строчки, написанные Лорэн: «Романист, холост, эпикуреец, часто работающий по ночам, любящий юмор, жизнь и азарт...»

— Боюсь, сегодня вечером ты перебрала вина.

Прежде чем закрыть компьютер, он случайно нажал на клавишу регистрации Пола на сайте знакомств.

— Он никогда нам не простит, что мы сыграли с ним такую шутку!

— Ну так беги к нему, кайся, потому что у меня есть подозрение, что этот сигнал...

Артур судорожно откинул крышку компьютера, напуганный своей оплошностью.

— Без паники! Доступ к этому аккаунту есть только у нас. И вообще, мне очень хочется переревернуть вверх дном его скучное будничное существование.

— Я бы так не рисковал, — отозвался Артур.

— Ты забыл, как он рисковал ради нас? — спросила она, гася свет.

Артур долго лежал в темноте с открытыми глазами. На него нахлынули воспоминания об их безумных приключениях, часто на грани фола. Пол ради него готов был даже попасть в тюрьму. Своим нынешним счастьем Артур был обязан бесстрашию друга.

Париж напоминал ему о тоскливых временах, о годах невыносимого одиночества. Теперь пришла очередь Пола пожить в одиночестве; Артур знал на собственном опыте, каково это. Но разве нет других способов спасти Пола от этого скучного житья, кроме как заманить его на сайт знакомств?

— Спи, — прошептала Лорэн. — Посмотрим, вдруг произойдет что-нибудь интересное?

Она вертелась на постели, не в силах уснуть, прокручивала в голове последние недели и не находила ничего радостного. Прошедший день оказался самым приятным за долгое время, хотя ее и мучила тоска.

Измученная бессонницей, она оделась и бесшумно выскользнула из квартиры.

Мостовые и тротуары были мокрыми: только что прошел частый моросящий дождь. Она поднялась по темным улицам на Холм и вышла на площадь Тертр. Знакомый карикатурист еще только складывал свой мольберт. Он поднял голову и увидел, что она садится на скамейку.

— Не спится? — спросил он, опускаясь с ней рядом.

— Нет, никак! — призналась она.

— Мне это знакомо, никогда не могу сомкнуть глаз раньше двух ночи.

— Жена послушно ждет вас до поздней ночи?

— Надеюсь, что она меня ждет, вот и все, — ответил он хрипло, как всегда.

— Не понимаю...

— Вы отдали подруге ее портрет?

— Пока не было возможности. Завтра непременно это сделаю.

— Можно попросить вас об одолжении? Не говорите ей, что это мой подарок. Мне нравится у нее обедать, но я почему-то смущаюсь при мысли, что она узнает...

— Почему все-таки?

— Нарисовать человека, когда он об этом не просит, — в какой-то степени вторжение в его личную жизнь.

— Тем не менее вы на это пошли.

— Мне нравится смотреть по утрам, как она идет мимо. Однажды захотелось запечатлеть лицо, которое так поднимает настроение.

— Если я положу голову вам на плечо, вы не поймете это превратно?

— Валяйте, мое плечо никому ничего не скажет.

И они залюбовались луной, выплывшей из облаков в парижское небо.

В два часа художник кашлянул.

— Я не спала! — встрепенулась Миа.

— Как и я.

Миа выпрямилась

— Не пора ли прощаться? — спросила она.

— Доброй ночи, — произнес художник, вставая со скамейки.

Они расстались посреди площади Тертр.

5

Дейзи любила прогулки по тихим улицам в час, когда солнце только выглядывает из-за горизонта. Мостовая пахла утренней свежестью. Остановившись на площади Тертр, она посмотрела на пустую скамейку, покачала головой и побрела дальше.

Миа проснулась часом позже, сделала себе чай и постояла у окна. Потом, прихлебывая чай, подсела к компьютеру подруги, не сумев справиться с любопытством.

Первый глоток. Она открыла свой почтовый ящик и просмотрела, не читая самих писем, имена тех, кто взывал к ее профессиональному долгу. Второй глоток. Не найдя того, что искала, она закрыла ноутбук.

Третий глоток. Она повернула голову к окну и вспомнила свою ночную прогулку.

Четвертый глоток. Она опять открыла компьютер, а в нем — главную страницу сайта знакомств.

Пятый глоток. Миа внимательно прочла инструкции по созданию профиля.

Шестой глоток. Она отставила чашку и принялась за дело.

Создание профиля

Готовы ли вы вступить в отношения?

Именно этого и хочу, совершенно не хочу, как получится.

Да, как получится.

Ваше семейное положение: не замужем, разошлась, разведена, вдова, замужем.

Разошлась.

Есть ли у вас дети?

Нет.

Ваши качества: внимательная, отважная, спокойная, покладистая, смешная, требовательная, гордая, великодушная, сдержанная, чувствительная, общительная, порывистая, робкая, надежная, другое.

Все вместе.

Выберите что-то одно.

Покладистая.

Цвет глаз.

Мы бы с удовольствием подобрали то, что вам нужно для счастья, но с таким цветом глаз ничего у вас не выйдет.

Мне лучше всего подойдет ответ: «Слепая».

Ваша фигура: нормальная, спортивная, худощавая, несколько лишних килограммов, округлая, коренастая.

Прямо как на рынке домашнего скота! Нормальная.

Ваш рост?

В сантиметрах – понятия не имею. Скажем, 175 см, выше – уже жираф.

Национальность.

Англичанка: не лучший выбор, после Ватерлоо французы нас недолюбливают. Американка: по части американцев у них куча предрассудков. Македонка: нечто невразумительное. Мексиканка: я не говорю по-испански. Микронезийка: звучит красиво, но я понятия не имею, где находится Микронезия. Молдаванка: очень сексуально, но это, пожалуй, будет чересчур. Уроженка Мозамбика: экзотично, но вид у меня сейчас неподходящий. Ирландка: мать меня убьет, если узнает.

Исландка: решат, что я день-деньской распеваю песни Бьорк. Латышка: уже лучше, но у меня не будет времени подучить латышский, придется изображать акцент и изъясняться на выдуманном языке, это смешно, но не опасно, вероятность столкнуться с настоящим латышом ничтожно мала. Тайка: не мечтайте. Новозеландка: с моим выговором это может получиться!

Ваша этническая принадлежность.

Мало им было Второй мировой войны? Что еще за вопрос?

Ваши представления и ценности: религия.

Выходит, представления и ценности выражает только религия? Агностик – пусть заглянут в словарь!

Ваше отношение к браку?

Неопределенное!

Вы хотите детей?

Я бы предпочла встретить мужчину, который захотел бы ребенка от меня, а не ребенка в принципе.

Ваше образование?

С этим непросто... Придется наврать: бакалавр +5...[1] Нет, так я нарвусь на суперумных, они уморят

---

[1] То есть 5 лет в вузе после получения аттестата.

*меня скучными разговорами. Лучше бакалавр +2, серед-
нячок.*

Ваша профессия?

*Актриса, но лучше не играть с огнем. Агент по не-
движимости – не годится, турагент – тоже нет, работаю в больнице – еще хуже, служу в армии – мимо, мас-
сажистка – станут клянчить, чтобы провела сеанс,
музыкант – у меня со слухом неважно, ресторатор...
как Дейзи, отличная мысль!*

Опишите то, чем вы занимаетесь.

Готовлю...

*Слишком самоуверенно, притом что я даже омлет
делать не умею. Но мы же здесь ради забавы.*

89

**Занятия спортом: плавание, прогулки, бег трус-
цой, бильярд, дротики...**

Разве дротики – спорт?

**...йога, спортивные единоборства, гольф, па-
русный спорт, боулинг, футбол, бокс...**

Неужели есть женщины, отвечающие: «Бокс»?

Вы курите?

*Иногда. Лучше быть искренней, а то еще нарвешься
на радикального борца с курением.*

Ваши любимые животные?

Мой будущий бывший муж.

Ваши интересы: музыка, спорт, кухня, шопинг...

Шопинг – слишком заумно. Поделки – если бы я выбрала бокс, было бы в самый раз. Танцы – тогда они вообразят девушку с фигурой балерины, не будем их разочаровывать. Писательство – совсем неплохо, а еще лучше чтение. Кино – только не это, не хватало нарваться на фаната кино. Выставки, музеи – смотря какие... Животные – не хотелось бы торчать в выходные в зоопарке. Видеоигры, охота и рыбалка, творческий досуг – понятия не имею, с чем это едят...

Где любите бывать?
В кино... Да, то есть нет.

90

Любите ли вы рестораны?
Да.

Дружеские вечеринки.
Когда-нибудь.

Родственники.
Как можно реже.

Бар/паб.
Всегда пожалуйста.

Дискотека.
А вот это нет.

Спортивные события.

Ни в коем случае.

Ваши вкусы в музыке и в кинематографе.

Это придумал инквизитор!

Чего вы ищете в мужчине

Его рост и фигура: нормальная, спортивная, худощавая, несколько лишних килограммов.

Плевать мне на фигуру!

Его семейное положение: не женат, вдовец, холостяк.

И одно, и другое, и третье.

Наличие у него детей.

Это его дело.

Он хочет детей.

Времени достаточно.

Его личные качества.

Ну наконец-то!

Внимательный, отважный, спокойный, покладистый, смешной, щедрый, сдержанный, благоразумный, чувствительный, непосредственный, надежный.

Все сразу!

Опишите себя

Миа зависла над клавиатурой, неспособная напечатать ни единого слова. Вернулась на главную страницу, ввела пароль Дейзи и прочла ее профиль.

Молодая женщина, любящая жить и смеяться, но с напряженным рабочим графиком, шеф-повар, страстно любящая свое ремесло...

Она скопировала профиль подруги, вставила его в свой аккаунт и нажала «сохранить».

Когда Дейзи отперла дверь квартиры, Миа резко захлопнула крышку компьютера и соскочила с кресла.

— Что ты делала?

— Ничего, читала свою почту. Где ты была в такую рань?

— Уже девять, я прошлась по рынку. Одевайся, поможешь мне в ресторане.

По ее тону Миа поняла, что разговора по душам не будет.

Разгрузив машину, Дейзи попросила подругу помочь ей переписать привезенный товар. Она чиркала в блокноте, Миа, подчиняясь ее приказам, раскладывала продукты.

— Я смотрю, ты решила меня заездить! — не выдержала она через некоторое время, разминая спину.

— Дорогая, я каждый день так горбачусь, и тут в кои-то веки у меня появилась помощница! Куда ты ходила на ночь глядя?

— Никак не могла уснуть...

— Приходи сегодня вечером в ресторан, повкалываешь — и, поверь мне, уснешь без задних ног.

Миа потащила в холодильную камеру коробку с баклажанами, но Дейзи призвала ее к порядку.

— Чтобы овощи сохраняли вкус, им нужна комнатная температура.

— Хватит меня муштровать!

— А рыбу, наоборот, держат в холодильнике.

— Интересно, Кейт Бланшетт стала бы таскать рыбу в холодильник ресторана?

— Заслужишь «Оскар», тогда и поговорим.

Миа вышла из холодильной камеры с пачкой масла, взяла из корзины багет и села за стойку. Дейзи сама разложила оставшиеся продукты.

— Проверяя почту, я случайно наткнулась на забавную штучку, — проговорила Миа с набитым ртом.

— Какая еще штучка?

— Сайт знакомств.

— Случайно, говоришь?

— Честное благородное слово! — Для убедительности Миа подняла ладонь.

— Я просила тебя не рыться в моих папках.

— Ты уже знакомилась таким способом с мужчинами?

— Откуда такое возмущение? Ты что, моя мамочка? Насколько я знаю, это не порнографический сайт.

— Нет, но все-таки...

— Что «все-таки»? Похоже, ты никогда не ездишь в автобусе и метро, не ходишь по улицам. Теперь люди глаз не отрывают от гаджетов, им нет дела, что происходит вокруг. В наше время единственный способ привлечь внимание — улыбнуться с экрана смартфона. Я не виновата, что так вышло.

— Ты не ответила на вопрос, — не унималась Миа. — Это работает?

— Я не актриса, у меня нет ни денег, ни поклонников, я не разгуливаю по ковровым дорожкам, мои фотографии не красуются на обложках журналов. Я вкалываю на кухне — это не вписывается в стандарт женщины, которую желают мужчины. Да, я зарегистрировалась на сайте. Да, этим способом я знакомлюсь с мужчинами.

— И что, встречаются подходящие?

— Редко, но Интернет здесь ни при чем.

— Как ты это делаешь?

— Что делаю?

— Ну, например, первое свидание... Как оно проходит?

— Так же, как при случайном знакомстве в кафе. С той разницей, что ты знаешь о человеке немного больше.

— Ты знаешь то, что он сам захотел о себе рассказать.

— Надо учиться расшифровывать профили, тогда начнешь разбираться, кто есть кто.

— Как же этому научиться?

— Почему это тебя заинтересовало?

Миа подумала, прежде чем ответить.

95

— Так, пригодится для роли, — ответила она уклончиво.

— Для роли? Так я и поверила! — Вздохнув, Дейзи подсела к Миа. — Даже псевдоним уже немало говорит о личности. «Мамочка, знакомься, это Дуду21, звучит гораздо лучше, чем Роро-хитрец, который тебе так понравился». Мистер Биг — изящно, да? Или Эль-Белло — скромностью разит за километр. Со мной пытался познакомиться некто Гаспачо2000. Представь, что ты целуешься с Гаспачо...

Миа прыснула.

— Дальше смотрим, что они пишут о себе. Часто они лепят столько орфографических ошибок, что остается их только пожалеть.

— Так много?

— Мой повар придет только через час. Давай вернемся домой, я тебе покажу.

Дома Дейзи зашла на сайт знакомств и позвала Миа.

— Полюбуйся, что пишет вот этот: «Привет, ты красивая и веселая? Если да, то я создан для тебя, я тоже весельчак, а еще я очаровательный и страстный...» Ну, нет, Эрве51, мне очень жаль, но я страшненькая и грустная... Не представляю, как можно писать такую чушь! А вот, — она щелкнула по другой иконке, — те, кто заглядывал в твой профиль.

Открылось новое окно, и Дейзи стала перебирать кандидатов.

— Вот этот пишет о себе, что он спокойный, и ему можно верить: похоже, он выкурил три косяка подряд, прежде чем сфотографироваться, причем прямо в интернет-кафе, очень вдохновляет! А как тебе это: «Ищу женщину для позирования...» По-моему, комментарии излишни.

— А вот этот, следующий, как будто ничего, — воодушевилась Миа. — Не женат, смельчак, ответственная работа, люблю музыку, ходить в рестораны...

— Не торопись, надо прочитать все, что он написал, — сказала Дейзи. — Смотри: «Ставлю шоколадку, что ты прочтешь мое объявление до конца». Нет уж, Дэнди26, забери свои шоколадки себе.

— А это что такое? — не унималась Миа.

— Профили, отобранные сайтом. В зависимости от того, что ты написала о себе, алгоритмы совместимости предлагают встречи. Что-то вроде компьютерного варианта случайности.

— Покажи-ка!

Некоторые профили из новой подборки вызывали откровенный смех. На одном Миа все же задержалась:

— Подожди, вот этот занятный, смотри!

— Да брось ты!

— Что тебя в нем не устраивает?

— Романист...

— Ну и что, разве это недостаток?

— Смотря что у него опубликовано. Некоторые именуют себя писателями, а сами даже первой страницы романа не закончили и целыми днями торчат в кафе. Те, кто взял десяток уроков актерского мастерства, мнят себя выпускниками лучших актерских школ, а те, кто кое-как бренчит на гитаре, объявляют себя новыми Леннонами. Все они мечтают о дурочке, к которой можно присосаться и жить припеваючи, мечтая о будущей творческой карьере. Знаю я таких, их видимо-невидимо!

— Ты всюду видишь только плохое. Слишком уж ты сурова. К твоему сведению, я тоже училась на актерских курсах.

— Может быть, но у меня есть опыт общения с такими забавниками. Хотя я с тобой согласна, этот твой писатель на фотографии, с тремя порциями сладкой ваты в одной руке, симпатичный... Наверное, у него трое детей!

— Или он сластена!

— Все это только предположения. Мне пора обратно в ресторан, на ланч придет куча народу.

— Подожди еще минутку. Что значат конвертик и кружок на фотографии?

— В конверте его письма тебе, зеленый кружок — приглашение поговорить напрямую. Но я не советую тебе шалить, отправляя послания, тем более не с моего компьютера. Тут тоже существует определенные правила и ритуалы.

— Какие еще ритуалы?

— Если он назначает тебе встречу в кафе вечером, то, значит, надеется переспать с тобой, а потом поужинать. Если приглашает в ресторан, это лучше, но надо быстро выяснить, где он живет. Если до его дома от места вашей встречи меньше полукилометра, это выдает его намерения. Если он не заказывает закусок, значит, скупердяй, если сам для тебя заказывает, значит, скупердяй в квадрате. Если первые четверть часа болтает только о себе, удирай сломя голову. Если рассказывает первые полчаса о своей бывшей — значит, он еще не забыл о прежних неудачных отношениях, а значит, тоже удирай. Если задает слишком много вопросов о твоем прошлом — он ревнивец, если допытывается о твоих планах на ближайшее будущее — хочет понять, ляжешь ли ты с ним в постель прямо сегодня. Если не отлипает от мобильника — значит, многостаночник. Плачется — значит, ищет «жилетку», хвастается, что заказал хорошее вино, — задавака, предлагает разделить пополам счет — тебе попался истинный джентльмен, забыл дома кредитную карточку — нахлебник.

— А что делаем мы, женщины? Что нам говорить, а о чем помалкивать?

— Мы?

99

— Ты!

— Миа, мне на работу пора, МЫ вернемся к этой теме позже.

Дейзи кинулась к двери.

— Осторожнее с моим компьютером, это тебе не игрушка, — напомнила она на бегу.

— У меня и в мыслях этого не было.

— Врать-то ты не умеешь.

Дверь за ней захлопнулась.

6

Издатель своим звонком поднял Пола с постели, сообщив, что для него имеется важное известие. Больше ничего не сказал и потребовал личной встречи.

Гаэтано Кристонели впервые предлагал Полу вместе позавтракать. К тому же прежде они никогда не встречались раньше 10 часов утра.

Гаэтано был оригинальным издателем, можно сказать, белой вороной. Эрудированный человек, страстно увлеченный своим делом, он, хоть и был итальянцем, остановил свой выбор на французской литературе. Как-то в юности, отдыхая вместе с матерью в Ментоне, он случайно наткнулся в библиотеке дома, который они снимали, на

101

книгу Ромена Гари «Обещание на рассвете», и это определило всю его жизнь. Для Гаэтано, конфликтовавшего с матерью, эта книга послужила спасительным якорем. Перевернув последнюю страницу, он решил, что все понял, кроме слез, вызванных обманом во благо, к которому прибегла мать героя. Гаэтано решил посвятить свою жизнь чтению и жить только во Франции. По причудливой иронии судьбы прах Ромена Гари был рассеян спустя много лет в том самом месте, где Гаэтано влюбился в книги. Сам он усматривал в этом верный признак правильности своего выбора.

Он устроился стажером в парижское издательство и стал вести роскошную жизнь благодаря щедрости состоятельной дамы на десять лет старше его. Она сделала его своим любовником. Потом были другие победы, всегда над дамами со средствами, но всякий раз разница в возрасте все уменьшалась. Гаэтано нравился женщинам, его эрудиция играла в этом немалую роль, но еще большую — его волнующее сходство с Мастроянни, весьма ценное подспорье в любовной жизни молодого человека. Короче, он был оригинал и эрудит, и немудрено: требуется много оригинальности вкупе с талантом, чтобы, будучи итальянцем, издавать во Франции американца.

Среди прочих оригинальных свойств Гаэтано, читавшего по-французски с той же умственной цепкостью, что и на своем родном языке, и способного обнаружить одинокую опечатку в пятисотстраничном томе, была чрезвычайно невнятная речь: он путал слова, а часто изобретал новые. Его психоаналитик объяснял это тем, что мысль у пациента обгоняет речь. Сам Гаэтано воспринимал эту особенность как орден Почетного легиона, присужденный свыше.

В 9.30 Гаэтано Кристонели ждал Пола в кафе «Дё-Маго». На столе стояла тарелка с круассанами.

— Надеюсь, ничего страшного? — обеспокоенно спросил Пол, усаживаясь.

— Правду говоря, дорогой друг, — начал Гаэтано, широко разводя руки, — этим утром, еще на заре, мне был телефонный звонок. Невероятный...

В слово «невероятный» Гаэтано напихал столько лишних «о», что, пока оно отзвучало, Пол успел выпить чашечку эспрессо.

— Не желаете ли еще? — удивленно осведомился издатель. — У нас, знаете ли, кофе пьют в два, самое большее в три глотка, даже ристретто. Самое вкусное остается на дне чашки. Но вернемся к нашим баранам, дорогой Паоло.

— Пол.

— Я так и сказал. В общем, сегодня утром поступил потрясаааааающий звонок.

— Чрезвычайно рад за вас.

— Мы, то есть они, продали уже триста тысяч экземпляров вашего романа о злоключениях американца в Париже. Просто за-ме-ча-тель-но!

— Во Франции?

— Нет, здесь всего семьсот пятьдесят, но это тоже великолепственно.

— А в Италии?

— Глядя на наши рейтинги, они пока еще не пожелали его издать, но не волнуйтесь, эти болваны в конце концов передумают.

— А в Германии?

Гаэтано промолчал.

— В Испании?

— Испанский рынок испытывает шлепки кризиса.

— Где же тогда?

— В Сеуле, то есть в Корее, знаете, это где Китай, только чуть подальше. Там ваш успех не перестает разрастаться. Вы только представьте, триста тысяч экземпляров, это же настоящая бомба! Мы оповестим об этом здешних читателей и, конечно, библиотеки.

— Думаете, это повлияет на спрос?

— Нет, но повредить это вам тоже не может.

— Могли бы сообщить мне об этом по телефону.

— Мог бы, но это еще не все сногсбивательные новости. А потому я лично с вами хотел увидеться.

— Я удостоен корейской «Флоры»?[1]

— Тоже нет! Что, в Корее открылось кафе «Флора»? Очень оригинально.

— Корейский «Эль» напечатал хвалебный отзыв?

— Не исключено, только я не читаю по-корейски, так что ничего не могу вам об этом рассказать.

— Ладно, Гаэтано, выкладывайте эту вашу сногсбивательную новость.

— Вас приглашают на Сеульскую книжную ярмарку.

— В Корею?

— А где еще находиться этому Сеулу?

— До него тринадцать часов лету.

— Не преувеличивайте, всего-то двенадцать.

105

---

[1] Премия «Флора» (*Le prix de Flore*) — одна из самых престижных литературных премий во Франции.

— Очень мило с их стороны, но это невозможно.

— Почему невозможно? — воскликнул Гаэтано, взмахнув руками.

Пол соображал, что пугает его больше: перелет или встреча с Кионг на ее территории. Раньше они встречались только в Париже, где у них были свои ориентиры. Что он будет делать в стране, не зная ее языка и обычаев, как она отнесется к его невежеству?

Была и другая причина: он приберегал мысль уехать к Кионг на потом, на далекое будущее, относился к ней как к смутной мечте. Ему совершенно не хотелось наводить с этим ясность.

Зачем сталкивать свои мечты с реальностью? Ведь они могут разрушиться.

— Кионг — океан моей жизни, но я боюсь воды. Смешно, верно?

— Ни капельки не смешно, фраза очаровательна, хотя я не имею ни малейшего представления, что она значит. Вы можете начать с нее новый роман. Очень интригует, хочется распознать продолжение.

— Не уверен, что это мои слова, может, где-то подсмотрел.

— Ну, в таком случае вернемся к нашим бесценным корейским друзьям. Я добыл вам местечко «эконом-премиум». Там больше места для ног и кресло с наклоном.

— В полете больше всего ненавижу наклоны.

— Кто их любит, я вас спрашиваю? Но ведь это единственный способ туда добраться.

— Я не полечу.

— Мой дорогой автор, знали бы вы, как вы мне дороги, учитывая выплаченные вам авансы. На ваши европейские гонорары не разживешься. Если хотите, чтобы я опубликовал следующий ваш шедевр, помогите мне хоть самую малость.

— Полететь в Корею — это помощь?

— Встреча с вашими читателями — помощь, и еще какая! Вас будут встречать, как звезду первой величины, это будет роскошничество, а не прием!

107

— Роскошничество или сногсбивательный провал — кто может предугадать?

— Я! Я вам это говорю!

— Есть только одно средство, — проговорил Пол со вздохом. — Я принимаю снотворное в зале ожидания, вы довозите меня в кресле-каталке до места в самолете и будите в сеульском аэропорту.

— Не думаю, что в салон «эконом-премиум» попадают прямо из зала ожидания. И вообще, лететь с вами я не могу.

— Хотите отправить меня туда одного?

— У меня уже назначены встречи на эти даты.

— На какие такие даты?

— Через три недели, у вас раздостаточно времени на сборы.

— Невозможно! — Пол решительно помотал головой.

За соседними столиками никого не было, но Гаэтано все равно наклонился к уху своего автора и прошептал:

— Там будет решаться ваше будущее. Подтвердите свой корейский триумф — и мы заинтересуем вашим творчеством всю Азию. Вы только представьте: Япония! Китай! Если правильно повести дело, можно будет убедить вашего американского издателя сделать попытку. А когда вы прорветесь в Штаты, то и Франция станет вашей, здешние критики будут носить вас на руках.

— Я *уже* прорвался в Штаты!

— Но ваш первый роман, между тем...

— Я живу во Франции! Почему я должен пробираться кружным путем, через Азию и Америку, чтобы мои книги читали на острове Нуармутье и в Кане?

— Между нами с вами, понятия не имею. Но так все устроено, ничего не поделаешь.

Нет пророка в своем отечестве, тем более в чужой стране.

Пол сжал голову ладонями. Он представил себе лицо Кионг, с улыбкой встречающей его в аэропорту, себя, приближающегося к ней с непринужденностью опытного путешественника. Попытался представить себе ее квартиру, спальню, постель, вспомнить ее движения, когда она раздевается, аромат ее кожи, их ласки. Но в следующий момент на голове Кионг появилась пилотка стюардессы, он услышал предупреждение о турбулентности. Открыл глаза и понял, что весь дрожит.

— Все хорошо? — спросил издатель.

— Да, хорошо... — пролепетал Пол. — Я подумаю. Постараюсь побыстрее дать вам ответ.

— Вот ваш билет. — Гаэтано протянул ему конверт. — Кто знает, вдруг вы найдете там материал для нового клевого романа? Будете встречаться с сотенными читателями, они будут признаваться, как любят ваши книги. Это будет еще более потрясительный опыт, чем выход вашей первой книги.

— Мой французский издатель — итальянец, я американский писатель, проживающий в Париже, которого больше всего читают в Южной Корее. Почему в моей жизни все так сложно?

— Сами виноваты. Садитесь в самолет, не делайте из себя избалованного ребенка. Все мои авторы мечтали бы оказаться на вашем месте.

Гаэтано оплатил счет и ушел, оставив Пола одного за столиком.

———

Артур и Лорэн встретились с Полом на паперти церкви Сен-Жермен-де-Прэ через полчаса после его звонка.

— Что за срочность? — спросил Артур.

— Я получил доказательство того, что судьба наделена чувством юмора, — заявил Пол с постной миной. Услышав смешок Лорэн за спиной, он обиженно оглянулся. — Я сказал что-то смешное?

— Нет, просто жду продолжения.

— Лишь бы оно не оказалось жестоким, — вставил Артур. Лорэн снова прыснула.

— Доведи до сведения своей жены, что она меня раздражает, — проворчал Пол, поворачиваясь к Артуру.

Он побрел в сквер и опустился на скамейку. Артур и Лорэн сели по обе стороны от него.

— Все так серьезно? — спросила Лорэн.

— По сути, нет, — признался он и пересказал свою беседу с издателем.

Артур и Лорэн незаметно для него перегля-нулись.

— Если это тебе так не по душе, не лети, — отрезал Артур.

— Не могу сказать, что совсем не по душе, но все-таки...

— Значит, вопрос решен, — заключил Артур.

— Вовсе нет! — возмутилась Лорэн.

— Почему это? — в один голос откликну-лись мужчины.

— Что ты делаешь, когда хочешь побало-вать себя? Отправляешься на прогулку в пра-чечную-автомат? Берешь тарелку с сыром и стакан вина и садишься к телевизору? Это и есть писательская жизнь? — рассердилась Лорэн. — Как ты можешь отказываться, даже не попробовав? Тебе нравится обманывать себя, так легче, правда? Если за это время у тебя не произойдет ничего более важ-ного, ты обязан сесть в самолет и улететь. Наконец-то ты разберешься в своих чувствах к этой женщине и в ее чувствах к тебе. Если ты вернешься один, то по крайней мере не будешь оплакивать отношения, которые не стоили таких усилий.

— А ты придешь меня утешить в прачеч-ную, захватив сандвич с савойским сыром? — насмешливо спросил Пол.

— Хочешь знать правду, Пол? — не унималась Лорэн. — Артур боится твоего отъезда туда еще больше, чем ты сам, потому что расстояние между вами все увеличивается, и он от этого страдает: ему тебя не хватает, нам обоим тебя не хватает. Но как друг он тебе советует: лети! А вдруг есть шанс, что там тебя ждет счастье? Его надо использовать.

Пол вопросительно взглянул на Артура, и тот, явно через силу, утвердительно кивнул.

— Триста тысяч проданных экземпляров одного из моих романов — это что-то да значит... — пробормотал Пол, глядя на двух голубей, почему-то проявивших к нему интерес. — Сногсбивательно, как сказал бы мой издатель!

Она сидела на скамейке, не сводя глаз с экрана телефона. Полчаса назад он звонил, но она не ответила на звонок.

Карикатурист поднялся со своего складного стула и подсел к ней.

— Принять решение — вот что важно, — проговорил он.

— Какое решение?

— То, которое позволит вам жить в настоящем, вместо того чтобы гадать, что вас ждет в будущем.

— Понятно, опять ваши теории... Знаю, вы хотите сделать мне приятное, и я это очень ценю, но сейчас неудачный момент. Мне надо подумать.

— А если бы я вам сказал, что через час ваше сердце перестанет биться, и попросил принять мои слова всерьез, как бы вы поступили?

— Вы ясновидящий?

— Отвечайте на вопрос! — приказал художник так властно, что Миа перепугалась.

— Я бы позвонила Дэвиду и сказала, что он мерзавец, что он все испортил, что теперь ничего уже не будет как раньше, что я больше не желаю его видеть, даже если люблю его и хочу сказать ему об этом, прежде чем умру.

— Вот видите, — смягчился ее суровый собеседник, — оказывается, это совсем нетрудно. Позвоните ему и скажите те же самые слова, кроме последней фразы, потому что я напрочь лишен дара ясновидения.

И карикатурист вернулся к своему мольберту. Миа догнала его.

— А если он изменится, если снова станет таким, каким был, когда мы познакомились?

— Будете и дальше от него бегать и молча страдать? До каких пор?

— Понятия не имею.

113

— Вам нравится быть на виду?

— Что вы хотите этим сказать?

— Вы отлично меня поняли. И говорите потише, вы распугаете всех моих клиентов.

— Мы здесь совершенно одни! — завопила Миа еще громче.

Художник обвел площадь взглядом и поманил Миа пальцем.

— Этот тип вас не заслуживает, — произнес он шепотом.

— Да что вы знаете?.. А если со мной невозможно жить?

— Почему девушки по уши влюбляются в мужчин, заставляющих их страдать, и остаются безразличны к тем, кто ради них готов достать луну с неба?

— А-а, понимаю. Вы — сочувствующий Пьеро?[1]

— Нет, просто моя жена была похожа на вас, когда мы познакомились. С ума сходила по одному щеголю. Ей потребовалось целых два года, чтобы понять, какое он ничтожество. Эти два потерянных года до сих пор страшно меня злят, ведь мы могли бы провести их вместе.

---

[1] Намек на старинную колыбельную песню «При свете луны»: друг Пьеро не помогает герою, зато дает добрый совет.

— Ну, два года — это еще ничего. История ведь завершилась хорошо?

— Задайте этот вопрос ей, нужно всего лишь спуститься по улице Лепик. Она на кладбище Монмартр, это под самым Холмом.

— Простите?..

— Хороший был денек, совсем как сегодня. А потом у нас на пути вырос грузовик. Мы ехали на мотоцикле.

— Мне очень жаль... — пролепетала Миа, смущенно потупившись.

— Ничего, не вы же были за рулем грузовика.

Миа покачала головой и побрела к своей скамейке.

— Мадемуазель!

— Да? — Она оглянулась.

— Важен каждый день.

115

Ступив на лестницу, ведущую по улице вниз, она присела на ступеньку и набрала номер Дэвида. Включился автоответчик.

— Все кончено, Дэвид, я больше не хочу тебя видеть, потому что... *Потому что я тебя люблю... черт, как хорошо было на скамейке, слова приходили сами собой... Не молчи, идиотка, ты выдаешь себя...* Потому что ты делаешь меня несчастной, ты все испортил, и мне захотелось, чтобы ты это услышал, прежде чем... *Все равно я тебя люблю!*

Она нажала на «Конец вызова» и стала гадать, можно ли стереть переданное сообщение, набрала в легкие воздуху и перезвонила.

— Скоро я познакомлюсь с Пьеро... *Что я несу? Боже, неужели я произнесла это вслух?* С человеком, который ради меня достанет луну с неба, и мы не станем терять ни минуты из-за моих чувств к тебе. Кстати, я намерена их стереть, точно так же, как ты сотрешь это сообщение. *Прекрати, твои слова звучат жалко!* Больше мне не звони. *Или перезвони через пять минут и скажи, что передумал и примчишься первым же поездом... Нет, сжалься, не перезванивай...* Увидимся на закрытом просмотре, каждый сыграет свою роль, ведь это наше ремесло... *Так-то лучше, профессионально и решительно. Хватит, остановись, больше ничего не говори.* Все, я заканчиваю. *Совершенно бесполезное дополнение!* До свидания, Дэвид. Это была Миа...

Она подождала десять минут, потом смирилась и убрала телефон в карман плаща.

Ресторан находился довольно близко. Она шла туда с тяжелым сердцем, но каждый шаг давался ей все легче.

— Когда я смогу позволить себе поездку в Лондон, не рассчитывай, что я стану терять время на съемочной площадке, — заявила Дейзи, увидев входящую Миа. — Что ты тут делаешь? Пошла бы лучше прогуляться.

— Тебе нужна официантка в обеденное время?

Не дожидаясь ответа, Миа шмыгнула в кухню. Дейзи отняла у нее фартук и сама завязала его у нее на талии.

— Хочешь поговорить?

— Не сейчас.

Дейзи встала к плите и подала Миа тарелки. Подсказывать, что делать, не пришлось: в ресторане был занят один-единственный столик.

117

После обеда Пол отпустил Артура и Лорэн гулять по Парижу. Ближе к вечеру ему предстояла встреча с читателями в одном из книжных магазинов Девятого округа. Он не сказал друзьям, где именно, из опасения, что они туда нагрянут. Он дал им ключи от квартиры и назначил встречу на завтра.

Артур повел Лорэн в квартал, где когда-то жил, и показал по пути окно своей квартирки. Они попили кофе в бистро, где он часто думал о ней, пока жизнь их снова не соединила. Потом они погуляли по набережным и вернулись в квартиру Пола.

Лорэн так устала, что уснула, не поужинав. Артур немного полюбовался ею, а потом взял компьютер. Он прочитал свою почту и надолго задумался. Из головы у него не шел разговор Пола и Лорэн в маленьком сквере у Сен-Жермен-де-Прэ.

Счастье его друга конечно же значило больше всего остального, и он был готов ради него на любые жертвы, даже проводить Пола на край света. Но Кионг была, конечно, не единственной женщиной, способной его осчастливить. Непредвиденная встреча взамен путешествия через океан: только об этом и можно просить всемогущий случай. Артуру припомнилась история о старике, наведавшемся как-то раз в церковь, чтобы сделать Богу выговор за то, что за все свои 97 лет он ни разу не выиграл в лотерею, и услышавшем глас свыше: «Купи хоть раз билет, тогда и поговорим».

То, что случилось потом, стало, вероятно, самой чудовищной проделкой Артура за все тридцать лет их с Полом нерушимой дружбы. Впрочем, Артуром руководили исключительно благие побуждения.

7

Дейзи не заметила, когда уснула: день выдался долгий. Она пыталась вспомнить, что осталось в холодильной камере ресторана и не пора ли покупать продукты, но решила, что на нынешний момент единственный способ выжить — это выспаться. Когда она открыла глаза, было 10 часов утра, и, совершая все последующие действия — подъем, умывание, одевание, — она тихо, но внятно бранилась себе под нос. Она бранилась, выскакивая из квартиры, соседи слышали ее брань, когда она прыгала на одной ноге по улице, обуваясь на бегу. Накануне вечером Миа все говорила и говорила, и ее было не остановить. Она рассказала историю их с Дэвидом любви, начав со дня знакомства и закончив последним телефонным звонком.

От брани Дейзи Миа проснулась, но не посмела высунуть нос из-под одеяла, пока подруга не скрылась за дверью.

Тогда она побродила по квартире, включила компьютер, решила не читать свою почту, потом передумала. Обнаружила письмо Крестона — вполне невинное, с просьбой дать о себе знать.

После этого исключительно смеха ради — для чего же еще? — она зашла на сайт знакомств. Не обнаружив ничего забавного, собиралась уже уйти с сайта, но в последний момент решила ознакомиться со случайной статистической выборкой. Перед ней предстал профиль одного-единственного кандидата. Похоже, она его где-то видела. Может, встречала на улице неподалеку? Мужчина обошелся без вульгарного или сомнительно смешного псевдонима. Удивительно, но его лицо показалось ей приятным, еще больше ее удивил мигающий под фотографией конвертик. Его послание было совершенно непохоже на те, что она читала, когда Дейзи регистрировала ее на сайте. Простые и учтивые слова вызвали у нее улыбку.

«Я жил в Сан-Франциско и работал архитектором. Меня посетила сумасшедшая идея написать роман, и его напечатали. Я амери-

канец – никто не совершенен – и теперь живу в Париже. Продолжаю писать. Никогда не регистрировался на сайтах знакомств и понятия не имею, что говорить и чего не говорить. Вы – шеф-повар, это достойное занятие, общее между нами то, что мы посвящаем дни и ночи творчеству, а потом делимся с людьми плодами нашего труда. Не знаю, что нами движет, но какое это счастье – принять безумный вызов и неустанно трудиться, чтобы порадовать других! Понятия не имею, как набрался смелости вам написать, и ответите ли вы. Почему герои романов решительнее нас? Почему они готовы на все, а мы – нет? Может, причина их побед – свобода? Сегодня вечером я буду ужинать в «Уме», это ресторан на улице 29 Июля. Прочитал, что шеф будет готовить печеную дорадо с травами из далеких стран с волшебным вкусом, к тому же я люблю улицу 29 Июля, там порой бывает очень красиво. Если вас соблазнит кулинарный изыск, то я вас приглашаю, причем без всяких задних мыслей.

Искренне ваш

Пол».

Миа поспешно закрыла письмо, как будто оно обожгло ей глаза, но все смотрела и смотрела на экран. Какое-то время держалась, словно боясь нарушить запрет, но ее хватило ненадолго. Если бы мать узнала о том, что Миа хотя бы подумала о знакомстве вслепую, она бы ее распяла, а Крестон помог бы поглубже загнать гвозди.

Почему персонажи романов решительнее нас?

Сколько она переиграла ролей, мечтая о свободе, которую они ей давали! Сколько раз Дэвид твердил ей, что публика влюбляется не в нее, а в ее героиню, сколько раз добавлял, что реальное знакомство с ней многих разочаровало бы!

Почему они готовы на все, а мы – нет?

Она распечатала письмо и сложила его вчетверо. Теперь, не решаясь или просто боясь сказать или сделать то, что ей хочется, она будет повторять эти строки.

Может, причина их побед – свобода?

Этот человек прав... Почему бы и нет?

Ее пальцы сами собой легли на клавиатуру.

«Дорогой Пол,
мне очень понравилось ваше письмо. Я тоже никогда раньше не посещала таких сайтов. Наверное, я подняла бы на смех подругу, если бы та призналась, что согласилась поужинать с незнакомцем. Вы прикоснулись к истине. Покоряет ли нас свобода, доступная вымышлен-

*ным персонажам, или то, как эта свобода их
преображает? Почему они готовы на все, а мы –
нет? (Простите, что повторяю за вами, я не
писатель.)*

*В реальности я не сталкиваюсь с ними, а по-
тому буду рада поговорить с теми, кто вдыхает
в них жизнь. Вам, наверное, доставляет огром-
ное удовольствие осуществлять с их помощью
все, что вам захочется. Или порой они сами
диктуют вам свою волю?*

*Вы, без сомнения, занятой человек. Захочется
ли вам все это обсуждать?*

До вечера, причем без всяких задних мыслей.

Миа.

123

*P.S. Я англичанка и тоже далека от совер-
шенства».*

———————

Лорэн дождалась, пока отойдет официант,
залпом выпила лимонад и вытерла губы тыль-
ной стороной ладони.

— Ты даже меня зацепил! — воскликнула
она.

— А ведь правда неплохое письмо получилось? — довольно спросил Артур.

— Во всяком случае она ответила. Ты, похоже, на все готов, лишь бы помешать ему улететь в Корею, но ты неправ.

— Ты сама придумала эту игру.

— Еще до его разговора с издателем...

— Пускай полетит на свою книжную ярмарку, главное — чтобы вернулся назад.

— И до того, как он рассказал о другой причине этой поездки.

— Ну вот, тем более!

— Как ты собираешься заманить его в этот ресторан?

— Тут мне понадобишься ты.

— Ты без меня как без рук.

— Я навру, что у меня ужин с важной клиенткой и мне нужно подкрепление.

— Он уже семь лет не работает по специальности. Чем он может быть тебе полезен?

— Может, как переводчик?

— Ты болтаешь по-французски не хуже, а то и лучше, чем он.

— Он хорошо знает Париж.

— А что за проект?

— Хороший вопрос. Пол мог бы застать меня врасплох.

— Скажи, что речь идет о ресторане.

— Почему это должно заинтересовать нашу мастерскую? Ведь мы так далеко отсюда.

— Может, очень большой ресторан?

— Лучше — американская сеть, решившая открыть свою точку в Париже.

— Он поверит?

— Куда он денется! Здесь мог бы открыться «Синдбад», это его любимый ресторан в Сан-Франциско.

— Какую роль в этой истории ты отводишь мне?

— Если я накинусь на него один, он может что-то заподозрить и отказаться, а если ты меня поддержишь, он уступит — ради тебя.

— Низкое коварство и грубое вторжение в его частную жизнь.

— Пускай, это для его же блага. Что до вторжения, то вам обоим лучше помалкивать. Понимаешь, на что я намекаю?

— Собираешься нас упрекать, что мы спасли тебе жизнь?

— Вот и я намерен спасти ему жизнь. У него не будет никаких оснований меня упрекать.

— А вот и будет — в ту самую секунду, когда он смекнет, что ты его провел. Остаток вечера превратится в сущий ад. Представляешь, какой у нас будет разговор?

— Не у нас — нас там не будет.

— Ты отправишь его ужинать с незнакомкой, условившейся о свидании через сайт знакомств, а он будет думать, что ему предстоит беседовать с клиенткой об архитектуре? — Лорэн рассмеялась. — Хотелось бы мне на это посмотреть!

— Мне тоже, но не нужно заходить слишком далеко.

— Ничего не выйдет, они все поймут еще до того, как им подадут закуски.

— Не исключено. Но если у нас есть хоть крохотный шанс на успех, почему бы не попытать счастья? Сколько раз у себя в операционной ты совершала невозможное, махнув рукой на тех, кто тебя отговаривал?

— Не пытайся задеть меня за живое. Не знаю, чем обернется наша затея: не то шуткой, не то позором.

— Может, и тем и другим. Но не исключено, что все получится.

Лорэн попросила счет.

— Куда теперь? — спросил ее Артур.

— Собирать чемоданы и искать отель. Боюсь, завтра он выставит нас за дверь.

— Отличная идея! Сегодня же вечером сворачиваем лагерь. Лучше я покажу тебе Нормандию.

———————

То, что Артур заказал столик на его имя, Пол счел бесцеремонностью. Он пришел в ресторан первым, и это его встревожило. Официантка усадила его за столик на четырех, накрытый на две персоны. Когда он указал ей на это несоответствие, она улизнула, ничего не объяснив.

Миа пришла почти вовремя, поздоровалась с Полом и села на диванчик напротив него.

— Я думала, что все писатели — старики, — начала она с улыбкой.

— Полагаю, что те из них, кто не умирает молодым, успевают состариться.

— Это реплика Холли Голайтли.

— «Завтрак у Тиффани».

— Один из моих любимых фильмов.

— Трумен Капоте. Я перед ним преклоняюсь и в то же время его ненавижу, — вздохнул Пол.

— Почему же?

— Столько таланта на одного — повод для зависти. Мог бы поделиться с другими, вы не находите?

— Возможно, вы правы.

— Мне очень жаль, обычно обходится без опозданий.

— Пять минут для женщины не опоздание, — ответила Миа.

— Я говорю не о вас, такого я бы себе не позволил. Не знаю, в чем дело, они уже должны быть здесь.

— Вам виднее...

— Прошу прощения, я не представился. Пол. А вы, я полагаю...

— Просто Миа.

— Предлагаю дождаться их, чтобы начать обсуждение. Это не мешает нам поболтать. У вас акцент. Вы англичанка?

— Бессмысленно это отрицать. Я указала это в постскриптуме.

— Он меня не предупредил. Я американец, но мы можем продолжить беседу на языке Мольера. Французы терпеть не могут, когда в их стране говорят по-английски.

— Согласна на французский.

— Совершенно не хочу вас пугать, но французы обожают иностранные рестораны. Замечательная мысль — открыть такой в Париже.

— Моя кухня в основном провансальская, — ответила Миа, вспомнив про Дейзи.

— Вы не намерены хранить верность оригиналу?

— Вы представить себе не можете, насколько для меня важна верность! Но можно совмещать ее с оригинальностью.

— Согласен, можно, — отозвался озадаченный Пол.

— Что вы сейчас пишете?

— Он вам об этом говорил? Напрасно! Пишу романы, но это не мешает моей профессиональной деятельности.

— Вы про архитектуру?

— А иначе зачем бы я сюда пришел, — ответил Пол, несколько насторожив Миа. — Что еще он успел вам рассказать?

Он говорит о себе в третьем лице: мне как всегда везет...

— Вы что-то сказали? Я не расслышал.

— Простите, ничего. Случается, я говорю сама с собой.

Пол широко улыбнулся.

— Можно я вам кое в чем сознаюсь?

— Да, если вы настаиваете.

— Я тоже, кажется, часто говорю сам с собой, мне даже на это указывают. Обязательно отругаю их за опоздание. Честно говоря, я в замешательстве.

— Я тоже, — призналась Миа.

— До чего непрофессионально! Уверяю вас, это совсем на них не похоже.

Да у него не все дома! Что я здесь делаю?

Она заговаривается, ужас-то какой! Я убью Артура и разрублю его на мелкие куски! Моя доброта меня погубит. Что они себе позволяют, черт бы их побрал?

— Вы тоже что-то сказали, — осторожно заметила Миа.

— Это вряд ли. А вот вы...

— Наверное, это была неудачная идея. Говорю вам, это у меня впервые. Все оказалось сложнее, чем я думала.

129

— Вы впервые в Париже? Однако отлично изъясняетесь на французском. Где вы его учили?

— Я совершенно не об этом. Это вовсе не первый мой приезд, моя лучшая подруга — француженка, мы знакомы с детства, она приезжала в мою семью учить английский, потом я провела каникулы у нее в Провансе.

— Отсюда провансальская кухня?

— Ну да.

Оба замолчали. Это длилось несколько минут, показавшихся вечностью. Официантка принесла меню.

— Если так пойдет дальше, мы сделаем заказ без них! — воскликнул Пол. — В следующий раз не будут опаздывать.

— Кажется, я расхотела есть, — сообщила Миа, откладывая меню.

— Жаль, здесь отменная кухня, я читал об этом заведении самые лестные отзывы.

— Запеченная дорадо с заморскими травами. Вы мне писали.

— Когда это я вам писал? — ошалело воззрился на нее Пол.

— Вы принимаете лекарства?

— Нет, с какой стати? А вы?

— Понимаю, — сокрушенно вздохнула Миа. — Вы меня разыгрываете, пытаетесь развеселить, помочь расслабиться, но можете не стараться, мне совершенно не смешно, я скорее напугана. Я все поняла, довольно, прошу вас, прекратите.

— У меня в мыслях не было вас смешить! И чем, позвольте спросить, я вас напугал?

— *Да, этот тип совершенно сбрендил! Главное, ему не противоречить. В худшем случае закажу закуску и через четверть часа смотаюсь.* Вы правы, не станем больше их ждать, они должны были давно явиться.

— Отлично! Сделаем заказ, и вы расскажете мне про ваш проект.

— Какой проект?

— Ваш ресторан!

— Я вам говорила, южная кухня, если точнее — Ницца.

— Ах, Ницца! Люблю этот город, меня приглашали туда на книжную ярмарку в июне прошлого года, жара была страшная, но мне понравилось тамошнее гостеприимство. Я имею в виду тех, кто захотел подписать у меня книгу, хотя таких, если честно, набралось немного.

— Сколько романов вы уже написали?

— Считая самый первый — шесть.

— Почему бы не считать самый первый?

— Просто когда я его писал, то еще не понимал, что пишу книгу.

— *Слабоумный какой-то, мне что-то не по себе от его разговоров.* Что же вы, по-вашему, делали? В куличики играли?

— *То ли она полная идиотка, то ли меня за идиота принимает...* Нет, я просто хотел сказать, что не мог представить, что роман напечатают, даже не собирался отправлять его в издательство.

— А его взяли и напечатали?

— Да, Лорэн отправила его вместо меня, даже не спросив разрешения. Безобразие, конечно, но я на нее не в обиде. Сначала, конечно, злился, но ведь именно ей я обязан тем, что теперь живу здесь.

— Можно задать вопрос, который может показаться вам нескромным?

— Задавайте, я ведь не обязан отвечать.

— Вы живете далеко отсюда?

— В Третьем округе.

— Дальше полукилометра от этого ресторана?

— Мы находимся в Первом округе. Далековато, а что?

— Ничего.

— А вы где живете?

— На Монмартре.

— Прекрасный район! Все, решено, заказываем!

Пол подозвал официантку.

— Как насчет дорадо? — спросил он, глядя на Миа.

— Дорадо долго запекается? — обратилась она с вопросом к официантке.

Та отрицательно покрутила головой и удалилась. Пол с насмешливым видом наклонился к Миа:

— Не хочу вмешиваться не в свое дело, но если вы намерены открыть рыбный ресторан, то вам следует разбираться, сколько времени уходит на приготовление дорадо. — И он рассмеялся.

В этот раз молчание затянулось еще дольше. Пол наблюдал за Миа, Миа — за Полом.

— Итак, вы любите Сан-Франциско. Вы там жили? — спросил Пол.

— Нет, но бывала несколько раз по работе, город действительно чудесный, там какой-то волшебный свет.

— Кажется, я догадался! Выучились в «Синдбаде» и решили перенести сюда их концепцию.

— При чем здесь Синдбад?

— *Я его убью! Я убью их обоих!* — пробормотал Пол, при чем на сей раз достаточно громко, и Миа его услышала. — Честно говоря — простите, что я вам это говорю, — он мог бы меня предупредить.

— Про двойное убийство... вы ведь это в фигуральном смысле?

— *Нет, таких дур еще надо поискать! Что я здесь делаю? Мне бы сидеть дома, а я...* Уверяю вас, я никого не собираюсь убивать, но, согласитесь, это уже слишком! За кого вы меня принимаете? За недотепу, даже не удосужившегося изучить досье?

— Я вам что, досье?

— Вы это нарочно? Не вы, вообще никто, а дело, ради которого мы оба сюда и пришли!

— Знаете что, — заговорила Миа, положив руки на стол, — главное уже сказано, есть я не хочу... *Умираю от голода!* Так что вы можете дегустировать дорадо без меня.

— Прошу вас! — простонал Пол. — Я такой неловкий, не сердитесь на меня. В свое оправдание могу сказать, что я уже давно ничем подобным не занимался и, видимо, утратил навык. Я ему говорил, что не пойду. Надо было отказаться, он не должен был вот так бросать меня одного, это нечестно с его стороны, то есть с их стороны...

— Вас одолевают призраки или те люди, о которых вы твердите, существуют на самом деле?

Чокнутая! Я трачу вечер на англичанку, которая несет вздор, такое может случиться только со мной!

— Опять вы что-то бормочете...

— Я имею в виду своего бывшего партнера Артура и его жену Лорэн. Вы собирались изложить ему концепцию вашего нового ресторана?

— Да вроде бы нет, — осторожно ответила она.

— Понимаю... Я хотел сказать: раньше, до этой катастрофической встречи?

— Тоже нет.

— Так что же вы здесь делаете?

— До этой минуты у меня еще оставались сомнения, но теперь я окончательно убедилась, что вы сумасшедший. Дейзи меня предупреждала, надо было к ней прислушаться.

— Прелестно! Не пойму, как ваша Дейзи могла знать, что я сумасшедший, поскольку я не знаком ни с какими Дейзи, вернее, нет, с одной был знаком, но то была «скорая помощь»[1]. Нет, последние мои слова забудьте, это слишком долгая история. Кто эта Дейзи?

Пол умолк, Миа ждала официантку, чтобы поскорее сбежать. При официантке этот бесноватый не посмел бы броситься за ней в по-

---

[1] В романе «Между небом и землей» Артур и Пол везут бесчувственную Лорэн из Сан-Франциско в Кармел в старой машине «скорой помощи» по прозвищу «Дейзи». — *Прим. автора.*

гоню. Избавившись от него, она вернется на Монмартр, бросится к компьютеру, удалит свой профиль с этого проклятого сайта — и все вернется в норму. Потом она поужинает в «Кламаде», потому что умирает с голоду.

— Почему вы считаете меня сумасшедшим? — поинтересовался Пол.

— Послушайте, так не пойдет. Это была игра, я очень сожалею...

Пол облегченно перевел дух.

— Ну, конечно! Я должен был сам догадаться. Вы с самого начала водите меня за нос, вы сговорились! Тогда — браво! — Он похлопал в ладоши. — Вам удалось меня провести. Они где-то прячутся, да? Подайте им знак, вы втроем здорово меня одурачили, но я могу держать удар.

Пол широко улыбнулся и стал озираться в поисках Артура и Лорэн. Миа сидела не дыша. Она спрашивала себя, сколько еще времени ей придется терпеть, пока принесут эту проклятую рыбу.

— Вы действительно писатель?

— Да, — сказал он, снова повернувшись к ней.

— Наверное, этим все и объясняется. Персонажи завладевают автором и в конце концов вторгаются в его жизнь. Я вас не осуждаю, в этом тихом безумии есть даже доля поэзии. Кстати, то, что вы мне писали, очень мило. А теперь, если не возражаете, я оставлю вас с ними и вернусь домой.

— Что еще я вам написал?

Миа достала из кармана лист бумаги, развернула и протянула Полу.

— Ваша работа?

Пол внимательно прочитал текст и недоуменно уставился на Миа.

— У меня с ним много общего, кое-что из этого мог бы написать я сам, но, думаю, шутка затянулась.

— Я не шучу! Я не знакома ни с вашим Артуром, ни с его женой.

— Раз так, это удивительное совпадение. В конце концов, в Париже есть еще писатели кроме меня. Полагаю, этот человек сидит в этом же зале, а я ошибся местом, — ответил Пол саркастическим тоном.

— Но в анкете фигурировало ваше фото!

— В какой анкете?

— Хватит, я вас очень прошу, мне ужасно неприятно. Та, которую вы поместили на сайте знакомств.

— Я никогда не посещал сайтов знакомств, не морочьте мне голову! Единственное разумное объяснение — что каждый из нас пришел не на ту встречу.

— Посмотрите вокруг, что-то я не замечаю вашего приятеля!

— Могли мы оба ошибиться адресом? — выдавил Пол, осознав абсурдность своего предположения.

— Разве что человек, с которым у меня была назначена встреча, счел, что я не в его вкусе, решил надо мной поиздеваться и прикинулся, что это не он.

— Невозможно! Чтобы такое выкинуть, надо быть слепцом.

— Благодарю за учтивость, я оценила вашу откровенность, жаль, что вы проявили ее с опозданием.

Миа поднялась, Пол сделал то же самое и поймал ее за руку.

— Сядьте, очень вас прошу! Для всего этого должно существовать логическое объяснение. Я понятия не имею, из-за чего возникла эта путаница, хотя... Нет, я не могу представить, что они проявили такое коварство!

— Ваши друзья-невидимки?

— Вот именно, лучше не скажешь! У Лорэн настоящий дар исчезать из виду — или ее преследует какой-то рок. Поверьте, я не в первый раз пожинаю плоды этой аномалии.

— Что ж, вам виднее. Я ухожу. Обещайте, что не пойдете за мной.

— С какой стати мне за вами идти?

Миа пожала плечами. Она уже сделала шаг к выходу, но тут появилась официантка. От вида дорадо у Миа потекли слюнки, а в животе так заурчало, что официантка, ставя блюдо на стол, не сдержала улыбки.

— Похоже, я вовремя. Приятного аппетита!

Пол разделил блюдо на порции и положил два кусочка на тарелку Миа. Пока он этим занимался, на его телефон пришло сообщение, и, закончив раскладывать рыбу, он его прочел.

— Вот теперь я приношу вам свои искренние извинения, — сказал он, кладя телефон на стол.

— Охотно их принимаю, но сразу после ужина я намерена уйти.

— Не хотите узнать, почему я прошу прощения?

— Не очень-то. Но можете сказать, если хотите.

— Признаться, сначала я принял вас за сумасшедшую, но теперь получил доказательство, что ошибся.

— Я очень рада. Хотя, что касается вас, то...

Пол протянул Миа свой телефон.

140

Пол, дружище,
мы решили немного подстегнуть судьбу и,
как ты уже, наверное, догадался, сыграли
с тобой шутку. Надеюсь, сейчас ты приятно проводишь вечер. Должен сознаться,
для нас этот вечер — смесь чувства вины
и дикого хохота. Не надейся отомстить,
вернувшись домой, потому что мы еще днем
укатили в Онфлер. Пишу тебе из ресторана,
где мы ужинаем. Рыба чудесная, порт, как
на картинке, Лорэн в восторге, ресторанчик, где мы сидим, — само очарование. Мы
вернемся через два дня или позже, в зависимости от того, сколько тебе потребуется
времени, чтобы нас простить. Ты, наверное,
возмущаешься, но через несколько лет мы
вместе посмеемся, вспоминая все это. Кто
знает, если эта Миа станет женщиной твоей
жизни, то ты будешь нам бесконечно признателен.

После всех твоих шуток со мной мы наконец квиты — ну почти что...

Обнимаем тебя,

Артур и Лорэн.

Миа положила телефон на стол и залпом выпила бокал вина, чем удивила Пола. Но на этом сюрпризы не кончились.

— Что ж, — заговорила она, — хорошая новость состоит в том, что тот, кто сидит напротив меня за столом, не сумасшедший.

— А плохая? — спросил Пол.

— У ваших друзей ущербный юмор, особенно сомнительный для побочных жертв их шуток. Для меня все это попросту унизительно.

— Позвольте возразить: из нас двоих настоящим кретином предстал я!

— Вы, по крайней мере, не регистрировались на сайте знакомств. Я чувствую себя оплеванной.

— Я тоже, бывало, подумывал о таком сайте, — сознался Пол. — Уверяю вас, это правда, а не дань вежливости. Я вполне мог бы там оказаться.

— Но не оказались.

— Главное — намерение, не так ли?

Пол наполнил бокал Миа и предложил ей выпить вместе.

— Можно узнать, за что пьем?

— За ужин, о котором ни вы, ни я никогда не сможем рассказать. Это само по себе уже оригинально. У меня есть к вам предложе-

ние, продиктованное самыми благими наме-
рениями.

— Если вы о десерте, то я не против. Откровенность за откровенность: я ужасно голодна, и рыбы мне не хватило.

— Тогда я тоже за десерт!

— Вы подразумевали что-то другое?

— Будьте добры, покажите мне, пожалуйста, еще раз письмо, написанное от моего
имени? Я бы еще раз прочитал один отрывок.

Миа протянула ему листок.

— Да, вот этот. Давайте докажем, что мы
смелее вымышленных персонажей, и попробуем не убегать, поддавшись чувству униже-
ния. Удалим то, что произошло, — все, что мы
наговорили до этой минуты. Это просто: на-
жимаешь на клавишу — и текста больше нет.
Перепишем вместе сцену с момента вашего
появления в ресторане.

Предложение Пола вызвало у Миа улыбку.

— Вы действительно писатель!

— С этой фразы удобно начать главу,
дальше можно поставить вашу цитату из
Трумена Капоте.

— Я думала, что все писатели — старики, —
повторила она.

— Полагаю, что те из них, кто не умирает
молодым, успевают состариться.

— Это реплика Холли Голайтли.

— «Завтрак у Тиффани».

— Это один из моих любимых фильмов.

— Трумен Капоте. Я перед ним преклоняюсь и в то же время его ненавижу, — вздохнул Пол.

— Почему же?

— Столько таланта на одного — повод для зависти. Мог бы поделиться с другими, вы не находите?

— Возможно, вы правы...

— Вам понравилось письмо, которое я вам написал?

— Кое-что в нем меня зацепило, и потому я здесь.

— Я провел перед экраном не один час, прежде чем сложились эти скупые строки.

— Я тоже долго мучилась над ответом.

— Я бы с удовольствием перечитал ваше послание мне. Так, значит, у вас ресторан провансальской кухни? Как оригинально для англичанки!

— Я провела в Провансе несколько летних каникул. Наши вкусы и желания формируются детскими воспоминаниями, так мне кажется. А вы где выросли?

— В Сан-Франциско.

— Как американский писатель превращается в парижанина?

143

— Это долгая история. И вообще, не люблю говорить о себе, это скучно.

— Я тоже не очень люблю говорить о себе.

— В таком случае мы рискуем стать жертвами синдрома пустой страницы.

— Хотите, чтобы мы описывали то, что нас окружает? Сколько страниц это может занять?

— Достаточно двух-трех деталей, чтобы оживить обстановку и создать настроение, а потом читатель заскучает.

— Я думала, что рецептов писательского успеха не существует.

— Так считают читатели, а не писатели. Вот вы любите длинные описания?

— Честно говоря нет, они быстро надоедают. Так что мы напишем дальше? Что делают два участника ужина?

— Заказывают десерт?

— Один?

— Нет, два. Все-таки это первый ужин, им надо создать запас.

— Соавтор я или нет? Ваш соавтор желает еще вина.

— Прекрасная мысль, ее сотрапезнику следовало бы самому позаботиться об этом, прежде чем она ему напомнит.

— Ничего подобного, иначе у нее возникло бы подозрение, что он задумал ее напоить.

— Я забыл, что она англичанка!

— Что еще, помимо этого, вы не переносите в женщинах?

— Если не возражаете, предлагаю поставить вопрос иначе: например, что я ценю в женщинах?

— Возражаю, это не одно и то же, и потом, если бы она задала такой вопрос, у него возникло бы впечатление, будто она вздумала его соблазнить.

— Спорно, но допустим. Соглашусь с вами. И отвечаю: ложь. А если бы прошла моя формулировка, то ответ был бы другим: откровенность.

145

Миа долго его рассматривала, а потом заявила:

— Спать с вами я не желаю.

— Прошу прощения...

— Вы же просили откровенности.

— Да, грубовато, зато откровенно. Теперь о вас. Что вы цените в мужчинах?

— Искренность.

— У меня не было намерения с вами переспать.

— По-вашему, я безобразна?

— Вы очаровательны. Должен ли я заключить, что вы считаете меня уродом?

— Нет, вы немного неловкий, но не скрываете этого, что редко и довольно трогательно. Я пришла на этот ужин, не грезя о начале новой жизни, скорее хотелось подвести черту под прошлым.

— А меня погнал сюда страх: я боюсь летать.

— Не вижу связи.

— Будем считать это эллипсом, загадкой, разгадка которой будет в другой главе.

— Разве будут другие главы?

— Раз мы оба знаем, что не хотим оказаться в одной постели, то ничто не мешает нам попытаться подружиться.

— Как оригинально! Обычно персонажи говорят такие слова в момент разрыва, это называется «останемся друзьями».

— Я даже думаю, что это потрясающе оригинально! — воскликнул Пол.

— «Потрясающе» здесь, пожалуй, лишнее.

— Почему же?

— Наречия так тяжеловесны! Я предпочитаю им прилагательные, но не больше одного в предложении. Просто «оригинально», мне кажется, будет лучше. По-английски мы бы сказали: «это довольно оригинально», так получилось бы еще тоньше.

— Хорошо, я скажу по-другому. Раз я не отношусь к вашему типу мужчин, то считаете ли вы хотя бы, что я мог бы стать вашим другом?

— При условии, что ваше настоящее имя — не Гаспачо2000.

— Только не говорите, что они наградили меня таким ником!

— Нет, — рассмеялась Миа, — я пошутила. Друзьям ведь можно друг над другом подшучивать?

— Наверное, — задумчиво ответил Пол.

— Если бы мне захотелось прочесть одну из ваших книг, какую вы бы посоветовали?

— Книгу другого автора.

— Отвечайте на вопрос.

— Ту, синопсис которой вселил бы в вас желание повстречаться с ее героями.

— А я начала бы с первой.

— Только не с нее!

— Почему?

— Именно потому, что она первая. Вам хотелось бы, чтобы люди, пришедшие к вам в ресторан, судили о вашем кулинарном мастерстве по самому первому блюду?

— Друга не судят, а узнают все лучше и лучше.

Официантка принесла им два десерта.

— Эклер с лукумой и каламанси, пирог с инжиром и мороженым из белого сыра. Подарок от шефа, — объявила она и поспешно удалилась.

— Вы знаете, что такое лукума и каламанси?

— Первое — перуанский фрукт, второе —
цитрусовый плод, нечто среднее между ман-
дарином и кумкватом.

— Ваши познания впечатляют!

— Скорее уж вам полагалось бы в этом разбираться, вы же шеф-повар.

— А я не разбираюсь.

— Честно говоря, я тоже не разбирался,
пока не прочел объяснение в меню, дожидаясь вас.

Миа закатила глаза.

— Из вас получилась бы актриса, — сказал
Пол.

— Это почему же?

— Когда вы говорите, ваше лицо становится очень выразительным.

— Вы любите кино?

— Люблю, только никогда туда не хожу.
Страшно сказать, с самого приезда в Париж я
не посмотрел ни одного фильма! По вечерам
я пишу. К тому же неприятно ходить в кино
в одиночку.

— А я люблю пойти в кино одна, затеряться
среди зрителей, понаблюдать за залом...

— Вы давно одна?

— Со вчерашнего дня.

— Действительно, совсем недавно. Значит, вы еще были замужем, когда регистрировались на сайте знакомств?

— Я думала, что эта часть текста отправлена в корзину. Я забыла добавить: официально. На самом деле я уже несколько месяцев одна. А вы?

— Я не один, но неофициально. Женщина, которую я люблю, живет на другом краю света. Даже не знаю толком, что нас объединяет. Так что на ваш вопрос я отвечаю так: я одинок со времени ее последнего приезда, уже полгода.

— Вы сами ее никогда не навещаете?

— Я боюсь летать.

— Разве любовь не окрыляет?

— Не обижайтесь, но это немного банально.

— Чем она занимается?

— Она переводчица, переводит мои книги, хотя у меня есть подозрение, что в этом смысле она мне не вполне верна. А кто по профессии ваш спутник жизни?

— Тоже шеф, вернее, заместитель шефа.

— Вы работаете вместе?

— Случалось и такое. Вот уж неудачная затея!

— Почему?

149

— Потому что он в конце концов переспал с посудомойкой.

— Какая бестактность!

— А вы всегда хранили верность своей переводчице?

Официантка принесла счет. Пол схватил его.

— Нет, только пополам! — возмутилась Миа. — Это дружеский ужин.

— Я уже достаточно вам досадил. Не сердитесь. Сами же говорите, я неловкий. И вообще старомодный.

150

Пол проводил Миа до остановки такси.

— Надеюсь, вечер получился не слишком тягостным.

— Можно задать вам вопрос? — спросила Миа.

— Уже задали.

— Как, по-вашему, женщина и мужчина могут стать друзьями без малейшей двусмысленности в отношениях?

— Если она только-только покончила с прежней любовной историей, а его сердце занято, то, думаю, могут... Во всяком случае, это так приятно — рассказывать о своей жизни незнакомке, не опасаясь, что она станет тебя судить!

Она опустила глаза и проговорила:

— Кажется, сейчас мне бы пригодился друг.

— У меня есть предложение, — произнес Пол. — Если через несколько дней у нас появится желание встретиться по-дружески, то давайте созвонимся. Только по желанию, а не из чувства долга.

— Согласна, — ответила Миа, садясь в такси. — Вас куда-нибудь подвезти?

— Я оставил машину неподалеку, так что мог бы тоже предложить вас подвезти, но, боюсь, уже поздновато.

— Тогда до встречи — может быть.

И Миа захлопнула дверцу.

151

— Монмартр, улица Пульбо, — сказала она водителю.

Пол проводил такси взглядом и зашагал вверх по улице 29 Июля. Ночь выдалась ясная, настроение у него было веселое, а машина угодила на штрафстоянку.

Ладно, вечер завершился лучше, чем начался, но ты не должна отступать от своих решений. Вернешься к Дейзи — немедленно сотри свою анкету и положи конец встречам с незнакомцами. Пусть это послужит тебе уроком.

— Мадемуазель, я уже двадцать лет кручу баранку, не надо мне всю дорогу рассказывать, куда ехать, — не выдержал водитель.

Ладно, он не псих, но мог же оказаться психом! Что бы ты тогда делала? А если бы тебя узнали в ресторане? Не драматизируй, никто бы тебя не узнал... Никогда никому не рассказывать о происшедшем этим вечером, даже Дейзи, особенно ей, она меня убьет... ни единой живой душе... это будет твоя тайна, ты поведаешь об этом своим внукам, когда будешь старенькой бабушкой, совсем старенькой...

152

Пол что-то сердито бормотал себе под нос, шагая по улице Риволи.

Почему в этом городе вечно не найдешь такси? Вот так ужин! Сначала я и впрямь принял ее за чокнутую. Надо совсем лишиться мозгов, чтобы податься на сайт знакомств... А некая знакомая мне парочка сейчас наверняка помирает со смеху. Представляю, как они потешаются надо мной, сидя в ресторанчике в Онфлере. Погодите, придет и мой черед над вами посмеяться... Если ты думаешь, что мы в расчете, старина, значит, плохо меня знаешь. Месть – блюдо, которое подают холодным, а я полакомлюсь им в теплом виде. Что вы устроили, решив, что без вашего участия я ни с кем не познакомлюсь? Я встречаюсь с кем хочу и когда хочу! За кого вы меня держите? Все-таки она немножко того, ведь так? Нет, надо быть справедливым, я так говорю, потому что злюсь, а она тут ни при чем. Так или иначе, она мне никогда не перезвонит, я ей тоже. После того, что случилось, это было бы ужасно стыдно. А моя машина?.. Подумаешь, совсем чуть-чуть заехал колесами на пешеходный переход. Этот город совсем нас затравил! Хотя поделом мне!

— Такси! — заорал Пол, бешено размахивая руками.

———————

153

Она попросила высадить ее на углу улицы Пульбо, расплатилась и вошла в дом.

— Все равно у меня нет номера его телефона, а у него моего, — бормотала Миа, поднимаясь по лестнице. — Не хватало только дать ему свой номер телефона! — Она стала рыться в сумочке в поисках ключа и наткнулась на незнакомый предмет. — Черт, его телефон!

Дейзи она застала на кухне, с ручкой в руке.

— Уже вернулась? — спросила Миа.

— Между прочим, уже половина первого, — ответила Дейзи, не поднимая глаз от блокнота. — Что-то твой фильм затянулся.

— Да, то есть нет, я опоздала на восьмичасовой сеанс и дожидалась следующего.

— Тебе по крайней мере понравилось?

— Начало немного странно, потом получше.

— Что ты болтаешь?

— Рассказываю про ужин незнакомых друг с другом людей.

— Это был шведский фильм?

— Что ты делаешь?

— Занимаюсь бухгалтерией. Вид у тебя какой-то не такой, — заметила Дейзи, ненадолго оторвавшись от цифр.

Миа постаралась не встречаться с ней взглядом и, зевая, скрылась в своей комнате.

Вернувшись домой, Пол уселся за письменный стол и включил компьютер, чтобы приступить к работе. На рамке экрана он увидел записку и узнал почерк Артура: тот любезно оставил ему логин и пароль для входа в аккаунт сайта знакомств.

8

После завтрака Пол хватился мобильника.
Он вывернул карманы пиджака, перерыл
наваленные на столе бумаги, пошарил на
всех книжных полках, заглянул даже в ванную, попытался вспомнить, когда и как
в последний раз пользовался телефоном.
Когда дал почитать Миа сообщение Артура!
А потом забыл телефон на столике. Злясь
на себя, он позвонил в ресторан «Ума», но
нарвался на автоответчик: заведение еще
не открылось.

Если телефон нашла официантка, она, скорее всего, унесла его с собой, ведь он оставил
ей щедрые чаевые. Он набрал собственный
номер — чем черт не шутит?

Миа завтракала в обществе Дейзи, когда со стороны окна до нее донесся голос Глории Гейнор, исполнявшей «I Will Survive». Подруги удивленно посмотрели друг на друга.

— Это где-то на диване, — безразлично бросила Дейзи.

— У тебя музыкальный диван? Как странно!

— Скорее у твоей сумки поутру прорезался голос.

Миа вытаращила глаза и бросилась к подозрительному предмету. Она засунула в сумочку руку, но певица умолкла.

— Бедняжка Глория устала?! — насмешливо крикнула Дейзи из кухни.

Песня возобновилась.

— Нет, она вышла на бис. Глория молодчина, знает, как завести публику!

В этот раз Миа успела ответить.

— Да, — пробормотала она. — Нет, я не официантка. Да, это я. Не думала, что вы станете трезвонить в такую рань. Я все поняла, это шутка... Да, могу... Где это? Понятия не имею... Перед Опера Гарнье в час дня? Договорились, до встречи... Конечно, я вас умоляю... До свидания.

Миа убрала телефон в сумочку и вернулась за стол. Дейзи налила ей чаю и вопросительно уставилась на нее.

— Билетер тоже был шведом?

— Что?..

— Что еще за Глория Гейнор?

— Человек забыл в кино телефон, я его подобрала, он позвонил и просит вернуть.

— Ох уж эта мне английская вежливость! Ты потащишься к Опере, чтоб вернуть незнакомцу мобильник?

— Разве этого не требуют приличия? Если бы я потеряла телефон, то была бы счастлива, если бы его нашел вежливый человек.

— А официантка при чем?

— Какая официантка?

— Проехали. Лучше ничего не знать, чем думать, что ты принимаешь меня за идиотку.

— Ничего подобного! — Миа лихорадочно соображала, как выйти из щекотливого положения. — Фильм был скучный, я вышла из зала, мужчина с соседнего кресла тоже, мы столкнулись на тротуаре и выпили по рюмочке на террасе кафе. Он ушел, забыл свой телефон, я его забрала и теперь собираюсь вернуть. Ты довольна? Теперь ты все знаешь.

— И как тебе мужчина с соседнего кресла?

— Никак. Ну, то есть ничего, симпатичный.

— Никак или симпатичный?

— Перестань, Дейзи, мы выпили по рюмочке, только и всего.

— Странно, что ты ничего мне не рассказала вчера вечером, когда вернулась. Накануне ты была гораздо разговорчивее.

— Я смертельно заскучала, захотелось чего-нибудь выпить. Умерь свою фантазию — больше ничего не было. Я отдам ему телефон, и точка.

— Точка так точка. Ты поможешь мне в ресторане сегодня вечером?

— Почему бы и нет?

— Вдруг тебе захочется опять пойти в кино?

Миа встала, отнесла тарелку в раковину и молча отправилась принимать душ.

Пол ждал ее на ступеньках перед Оперой, в гуще толпы. Он сразу узнал ее среди выходящих из метро. Она была в темных очках, в платке, с сумочкой на руке.

Он помахал ей, она ответила робкой улыбкой и направилась к нему.

— Не спрашивайте, как это произошло, я понятия не имею, — проговорила она вместо приветствия.

— Что произошло? — спросил Пол.

— Говорю вам, я не знаю, наверное, он соскользнул.

— Слишком ранний час, чтобы предположить, что вы выпили.

— Минуточку. — Она запустила в сумку руку.

Поиск ничего не дал. Она подняла ногу, поставила сумку себе на колено и стала в ней рыться, ловко держа равновесие.

— Розовый фламинго?

Она укоризненно покосилась на него и торжествующе извлекла из сумки телефон.

— Я не воровка. Не понимаю, как он очутился в моей сумочке.

— Я ничего такого не имел в виду.

— Эта встреча не считается, хорошо?

— В каком смысле не считается?

— Вы позвонили мне не потому, что вам захотелось, я тоже приехала не потому, что захотела. Единственная причина — ваш телефон.

— Хорошо, не считается. Вы мне его вернете?

Она отдала ему телефон.

— Почему Опера?

Пол повернулся к дворцу Гарнье:

— Это место действия моего следующего романа.

— Понимаю.

— Вряд ли. Все происходит главным образом внутри.

— Понимаю-понимаю.

— Какая вы упрямая! Вы хотя бы там бывали?

— А вы?

— Десятки раз, в том числе когда здание закрыто для публики.

— Хвастун!

— Вовсе нет, я подружился с директором.

— Что же происходит в этой Опере?

— Ничего вы не понимаете, сами видите! Моя героиня — потерявшая голос певица, которую неудержимо тянет сюда.

— Вот оно что!

— Что — вот оно что?

— Ничего.

— Вы же не уйдете, оставив меня здесь с вашими «вот оно что» и «ничего»?

— Что я должна, по-вашему, сделать?

— Понятия не имею, надо что-то придумать.

— Можно несколько минут полюбоваться фасадом.

— Хорошо вам шутить! Творческий процесс — хрупкая материя, вы даже не представляете, до какой степени хрупкая. Своим «ничего» вы можете на три дня лишить меня вдохновения.

— Мое «ничего» обладает такой силой? Уверяю вас, оно совершенно безобидно.

— По-вашему, четвертая сторона обложки — это что-то безобидное? Между прочим, она может подарить книге жизнь или обречь ее на смерть.

— Какая еще четвертая сторона обложки?

— Краткое содержание на задней стороне обложки.

— Успокойте меня: то, что вы рассказали про будущую книгу — это ведь не краткое ее содержание?

— Чем дальше, тем хуже! Теперь я целую неделю не смогу сочинить ни словечка.

— Раз так, мне лучше помолчать.

— Поздно, вред уже причинен.

— Вы меня дразните.

— Вовсе нет. Принято считать, что это легкий хлеб, и с определенной точки зрения так оно и есть. Ни тебе графика, ни начальства, ни структуры, но в том-то и дело, что работать без структуры — все равно что болтаться в шлюпке посреди океана. Стоит проморгать одну-единственную волну — и шлюпка переворачивается. Спросите актера, как чихнувший в разгар пьесы зритель заставляет его забыть роль. Нет, вам этого не понять...

— Вероятнее всего, — ответила Миа надменно. — Мне ужасно совестно, я вовсе не хотела так вас удручить своим легкомысленным «ничего».

— Простите, наверное, я просто не в духе. Вернувшись вчера вечером, я не выжал из себя ни единой строчки, а ведь сидел до поздней ночи...

— Из-за вчерашнего ужина?

— Я совсем не то имел в виду.

Миа внимательно наблюдала за Полом.

— Здесь слишком много людей! — воскликнула она.

Видя его растерянность, она схватила его за руку и потянула к лестнице дворца Гарнье.

— Садитесь! — приказала она и уселась на две ступеньки ниже его. — Итак, что происходит с вашей героиней?

— Вам действительно интересно?

— Иначе я бы не спрашивала.

— Никто не понимает, в чем причина ее недуга, никакой болезни у нее не находят. Устав от бесполезного лечения, она живет затворницей в своей квартире. Опера — вся ее жизнь, а ей даже не на что купить туда билет, приходится наняться билетершей. Те, кто раньше не жалел денег, чтобы насладиться ее пением, теперь дают ей чаевые за то, что она помогает им найти место. Потом ее узнает один музыкальный критик.

— Хорошая, многообещающая роль. Что дальше?

— Дальше я еще не написал.

— Кончается хоть хорошо?

— Откуда я знаю!

— Нет уж, давайте условимся: конец должен быть хороший.

— Бросьте, я еще ничего не решил.

— Вы считаете, что в жизни не хватает трагедий, что людям мало бед, лжи, подлости, нищеты? Собираетесь еще добавить? Украсть у них время, рассказывая истории с плохим концом?

— Романы должны опираться на реальность, иначе получаются слащавыми и сентиментальными.

— Пошлите к чертям тех, кому не по душе счастливые финалы, пусть и дальше барахтаются в своей безнадежности. И так от них спасу нет, зачем еще оставлять за ними последнее слово?

— Есть и такая точка зрения.

— Нет, это вопрос здравомыслия и смелости. Что толку играть на сцене, писать книги, рисовать, ваять, — словом ввязываться во все это, если не приносишь другим радость? Выжимать из обитателей хижин слезу, потому что это престижно? Знаете, чего в наши дни стоит завоевать «Оскар»? Это хуже, чем лишиться рук или ног, отца или матери! Щедрая порция бедствий,

163

гнусности, низости — и все рыдают и кричат: «Гений!» Тот, кто вызывает смех, заставляет мечтать, не вызывает уважения. Хватит с меня культурной гегемонии маразма. У вашего романа будет хороший конец, и точка.

— Договорились, — с опаской проговорил Пол.

Его сбило с толку ее волнение, и он не решился ей противоречить.

— К ней вернется голос? — не унималась Миа.

— Там видно будет.

— Лучше пусть вернется, иначе я не куплю вашу книгу.

— Я вам ее подарю.

— А я не стану читать.

— Хорошо, я буду работать в этом направлении.

— Рассчитываю на вас. А теперь идемте выпьем кофе и вы расскажете мне, как поступит этот критик, узнавший бывшую певицу. Какой он, кстати, — симпатяга или мерзавец?

Прежде чем у Пола нашелся ответ, она продолжала с прежним пылом:

— Вот было бы хорошо, если бы сначала он был мерзавцем, а потом благодаря ей исправился, а она благодаря ему снова бы запела. Разве не богатая идея?

Пол достал из кармана ручку и подал Миа.

— По пути в кафе настрочите мой роман, а я тем временем приготовлю буйабес.

— У вас, часом, не дурной характер?

— Полагаю, нет.

— Потому что у меня нет никакого желания пить кофе в компании человека с дурным характером.

— Уверяю вас, я не такой.

— Ладно, но это все равно не считается.

— Наверное, у вас на кухне весело, с таким-то шефом, как вы!

— Это комплимент или насмешка?

— Осторожно, не угодите под колеса! — крикнул он, хватая ее за руку и не давая выскочить на проезжую часть. — Здесь вам не Лондон, а Париж, машины появляются с другой стороны.

Они устроились на террасе «Кафе де ла Пэ».

— Хочу есть, — объявила Миа.

Пол подал ей меню.

— Ваш ресторан не обслуживает в обеденные часы?

— Почему, обслуживает.

— Кто там трудится сейчас?

— Моя партнерша, — ответила Миа, опустив глаза.

— Иметь партнершу очень практично. Увы, в моем ремесле это было бы затруднительно.

— Эту роль отчасти исполняет ваша переводчица.

— Не пишет же она за меня романы в мое отсутствие! Почему вы уехали из Англии и подались во Францию?

— Для этого нужно всего лишь пересечь Ла-Манш, а не океан. А вы?

— Я первым задал вопрос.

— Захотелось, и все. Чтобы изменить жизнь.

— Дело в вашем бывшем... друге? Вы же не вчера здесь объявились?

— Я бы предпочла не говорить об этом. Лучше расскажите, почему вы покинули Сан-Франциско.

— Сначала сделаем заказ. Выяснилось, что я тоже голоден.

Как только официант отошел, Пол поведал ей об эпизоде, последовавшем за изданием его первого романа, о своей внезапной славе, ставшей для него суровым испытанием.

— Вас подкосила известность? — заинтересовалась Миа.

— Не будем преувеличивать, писателю не приходится даже мечтать о славе рок-певца или кинозвезды, но я не играл роль, а вывалил на бумагу свои собственные внутренности — в переносном смысле, разумеется. И это при моей болезненной стеснительности! Поверите ли, в колледже я даже принимал душ в трусах!

— Сегодня ваша физиономия красуется на первой полосе газеты, а уже завтра в эту газету заворачивают жареную рыбу. Вот и вся цена известности, — проговорила Миа.

— Вам часто приходится подавать клиентам жареную рыбу?

— Фиш-энд-чипс снова стала модным блюдом, — ответила она с улыбкой. — Как ни странно, сейчас мне самой ее захотелось.

— Тоска по родине?

— Нет, это мне несвойственно.

— Он так вас измучил?

— Я свалилась с большой высоты, я была единственной, кто не видел изнанки экрана.

— Какого экрана?

— Это так, к слову.

— Любовь ослепляет.

— Думаю, эта вопиющая банальность — как раз обо мне. Что вам мешает отправиться к вашей переводчице? Писатель может творить где угодно, разве нет?

— Не знаю, хочет ли этого она. Если бы хотела, то, наверное, подала бы мне сигнал.

— Необязательно. Вы много общаетесь?

— По скайпу раз в неделю, в выходные. Иногда по электронной почте. Мне знаком только маленький уголок ее квартиры — тот, который попадает в камеру ее компьютера, остальное отдано на волю воображения.

— В двадцать лет я влюбилась в одного ньюйоркца. Наверное, расстояние усиливало мои чувства к нему. Невозможность видеться, прикасаться друг к другу подогревала воображение. Однажды я собрала все, что сэкономила, и купила билет на самолет. Я провела там одну из лучших недель в своей жизни. Вернулась опьяненная, полная надежд, с решением найти способ уехать туда жить.

— И как, получилось?

— Где там! Стоило мне сообщить ему о своем плане, как все изменилось. Он стал гораздо реже звонить, а с приближением зимы наши отношения и вовсе зачахли. Я мучилась, пока его не забыла, но никогда не жалела, что пережила это приключение.

— Я остаюсь здесь по той же самой причине: чтобы забыть.

— Боязнь летать, выходит, ни при чем?

— При чем, она служит удобным предлогом. А каким предлогом пользуетесь вы?

Миа отодвинула тарелку и залпом выпила стакан воды.

— Какой предлог можно найти для нашей следующей встречи? — спросила она с улыбкой.

— Разве он нужен?

— Нет, если вы захотите позвонить первым.

— Нет-нет-нет! Это слишком просто. Нет такого закона о дружбе, согласно которому мужчинам полагалось бы делать первый шаг. Более того, я считаю, что во имя равенства полов эта привилегия должна принадлежать женщинам.

— Категорически с вами не согласна.

— Разумеется, поскольку вас это не устраивает.

Они немного помолчали, разглядывая прохожих.

— Как насчет того, чтобы побывать в Опере, когда она закрыта для публики? — осведомился Пол.

— Правда, что там есть подземное озеро?

— А на крыше пчелиные ульи.

— Я бы с радостью!

— Отлично, я этим займусь. Я позвоню и сообщу, когда можно будет это сделать.

— Сначала я должна дать вам номер своего телефона.

Пол вооружился ручкой и открыл записную книжку.

— Я вас слушаю.

— Вы еще его не попросили. И нечего так на меня смотреть. В дружбе тоже существуют свои формальности.

— Можно попросить ваш номер телефона? — спросил Пол со вздохом.

Миа схватила его ручку и чиркнула на странице записной книжки.

— Вы сохранили свой английский номер? — удивленно спросил Пол.

— Сохранила... — смущенно призналась она.

— Согласитесь, с вами непросто.

— Со мной, а не вообще со всеми женщинами?

— Со всеми женщинами, — проворчал Пол.

— В противном случае вы бы смертельно заскучали. В этот раз плачу я. Не вздумайте спорить!

— Я бы удивился, если бы официант согласился взять деньги у вас. Я обедаю здесь через день, он хорошо меня знает. К тому же кредитная карточка у вас тоже английская... Миа пришлось с ним согласиться.

— Что ж, до встречи, — сказала она, протягивая ему руку.

— До встречи, — ответил Пол.

Он смотрел ей вслед, пока она не спустилась в метро.

9

На лестничной площадке Пола дожидался Артур.

— Боюсь, я потерял ключ от квартиры, — с виноватым видом сообщил он.

— Час от часу не легче! — Пол отпер дверь. — Как вам Онфлер?

— Очаровательно!

Пол молча прошел в квартиру.

— Ты так на меня сердишься? — спросил его Артур. — Это была невинная шутка.

— Где твоя жена?

— Навещает коллегу, стажирующуюся в Американском госпитале.

— У вас есть планы на сегодняшний вечер? — спросил Пол, готовя кофе.

— Не хочешь об этом говорить? Это твоя месть?

— Если ты считаешь, что я могу зря терять время, то тебе надо повзрослеть, старина.

— Все было так ужасно?

— Смотря о чем речь: о том, как эта женщина на протяжении получаса считала, что ужинает с психом, или о том, как я понял, в какое глупое положение ты меня поставил?

— Она показалась мне симпатичной, вы вполне могли бы провести вдвоем приятный вечер.

Пол подошел к Артуру и насильно сунул ему в руки чашку кофе.

— Разве она могла приятно провести вечер, когда лучший друг того человека, с которым она ужинала, поиздевался над ней так, как ни один мужчина не имеет права издеваться ни над одной женщиной?

— Она тебе приглянулась! — ахнул Артур. — Раз ты встаешь в оборонительную стойку, значит, она тебе понравилась.

Он захлопал в ладоши, подошел к письменному столу Пола и плюхнулся в кресло.

— Да-да, чувствуй себя как дома! — прошипел Пол.

— Конечно, ты мне отомстишь. Не знаю пока, когда и как, но уверен, что дорого заплачу за содеянное. Но пока отложим это в сторону. Рассказывай!

— Мне нечего рассказывать, фарс продолжался десять минут. Сколько, по-твоему, нужно двум людям с нормальным уровнем интеллекта, чтобы понять, что их обвели вокруг пальца? Я извинился за тебя и объяснил ей, что мой лучший друг очень мил, только он набитый дурак, после чего мы расстались. Я даже не запомнил ее имени.

— Это все?

— Представь, все.

— В общем, ничего страшного.

— Ничего страшного, но в одном ты прав: ты у меня поплатишься!

173

———

Выйдя из метро, Миа направилась в книжный магазин. Там она побродила вдоль прилавков и, не найдя того, что искала, обратилась к продавцу. Он пощелкал по клавиатуре компьютера и подвел ее к стеллажу.

— Кажется, была одна... — Он привстал на цыпочки. — Вот, пожалуйста. Других книг этого автора у меня нет.

— Можете заказать?

— Разумеется. Если вы любите читать, я могу предложить вам произведения и других писателей.

— Разве этот не годится для любителей чтения?

— Годится, но есть более искусные.

— Вы читали какой-нибудь из его романов?

— Всего не прочтешь при всем желании, — ответил книготорговец со вздохом.

— Как же тогда вы можете оценивать его уровень?

Книготорговец смерил ее взглядом и вернулся за прилавок.

— Так вам заказывать другие его книги? — осведомился он, выбивая чек.

— Нет, — ответила она, — я начну с этой, а другие закажу в менее искусном магазине.

— Я не хотел показаться неучтивым, но этот автор американец, а при переводе многое теряется.

— Я сама переводчица, — заявила Миа, уперев руки в боки.

Книготорговец несколько секунд стоял разинув рот:

— Я допустил бестактность, так что теперь обязан сделать вам скидку.

Миа вышла на улицу, листая на ходу роман, потом перевернула книгу, чтобы прочесть на обложке краткое содержание, и улыбнулась, увидев фотографию Пола. Впервые в жизни она держала в руках книгу, написанную человеком, с которым она была знакома, хоть и совсем недавно. Вспомнила свою пикировку с продавцом, и ей стало стыдно: что за муха ее укусила? Обычно она не позволяла себе задираться. С другой стороны, она была довольна: сказала что думала. Миа ощущала в себе какую-то перемену, ей нравился внутренний голос, требовавший от нее самоутверждения. Она остановила такси и попросила водителя отвезти ее на улицу Риволи, к английскому книжному магазину.

Через несколько минут она вышла из него с американским оригиналом первого романа Пола. Начала читать по пути на Монмартр, продолжала, поднимаясь по улице Лепик, потом уселась на скамейку на площади Тертр и долго не отрывалась от книги.

Художник, стоявший за своим мольбертом, улыбался ей, но она его не замечала.

Под вечер она пришла в ресторан. Дейзи уже стояла у плиты. Доверив кастрюли повару Роберу, она отвела Миа в сторонку:

— Конечно, это занятие не по твоему профилю, но моя официантка уволилась, а замену я буду искать еще несколько дней. Ты неплохо справляешься. Знаю, я требую слишком много...

— Да, — согласилась Миа, не дав подруге договорить.

— Ты не против?

— Говорю тебе, нет.

— Кейт Бланшетт скандалить не будет?

— А ей никто слова не даст. Будь я на ее месте, вложила бы средства в ресторан. У тебя проблема с деньгами, а у меня нет. Можно было бы освежить зал, нанять надежную официантку, которой ты платила бы достаточно, и она бы не сбежала...

— Зал и так хорош, — перебила ее Дейзи. — Мне просто сейчас нужна помощь.

— Ты не обязана отвечать немедленно. Обдумай мое предложение.

— Как там в Опере?

— Я отдала ему телефон и ушла.

— Больше ничего?

— Ничего.

— Он гомосексуалист?

— Я его не спрашивала.

— Ты едешь через весь город, чтобы вернуть ему телефон, а он ограничивается «спасибо» и «до свидания»? Может, он и вправду швед, но тогда с самого севера Швеции!

— Ты всюду видишь только плохое.

— С чего ты взяла, что я думаю о плохом?

Миа промолчала. Повязав фартук, она принялась накрывать столики.

———

Пол поужинал с Артуром и Лорэн в бистро на улице Бургонь. Вино лилось рекой, шутка, жертвой которой он стал, была отправлена в разряд воспоминаний. На следующий день его друзья уезжали в Прованс, и он спешил воспользоваться их присутствием.

— Кажется, она права... — бросил Пол на эспланаде Дома инвалидов.

— Кто? — спросила Лорэн.

— Мой издатель.

— Я думал, он мужчина, — сказал Артур.

— Конечно, мужчина! — спохватился Пол.

— В чем же он прав? — поинтересовалась Лорэн.

— Мне надо отправиться в Корею и облегчить душу. Мой страх перед полетами — это просто смешно!

— Раз ты так осмелел, добро пожаловать назад в Сан-Франциско! — сказал Артур.

177

— Оставь его в покое, — вмешалась Лорэн, — раз ему хочется в Сеул, ты должен его подбодрить.

Артур положил Полу руку на плечо.

— Раз твое счастье там, то несколько лишних тысяч километров не отдалят тебя от нас.

— Никогда не подумал бы, что у тебя так плохо с географией! Представь, так мы только сблизимся! Смотри никому не рассказывай: Земля круглая!

178 Вернувшись домой, Пол без всякого вдохновения уселся за компьютер. К часу ночи у него было готово электронное письмо.

«Кионг,

я давно должен был бы к тебе приехать, не спрашивая разрешения. Я думаю о тебе, когда просыпаюсь, потом весь день и поздно вечером, для меня думать о тебе так же естественно, как дышать. Стоит закрыть глаза – и передо мной возникаешь ты. Вот ты опираешься о мой письменный стол, вот читаешь мне, вот мысленно переводишь, не произнося ни слова. Знаешь, я незаметно за тобой наблюдаю. Писатель и переводчица, связанные молчанием, – чем не сцена из фильма братьев Маркс?

Если бы сердечные болезни были заразными, ты полюбила бы меня так же сильно, как я тебя.

Наши чувства такие разные, но есть надежда, что они вырастут и оформятся. Мои стали зрелыми, но упорно не желают быть такими, как у всех... Из слов можно создавать что угодно, в том числе прекрасные истории, почему же это так трудно в жизни?

Я прилечу, но не ради этой книжной ярмарки, а к тебе, если ты, конечно, хочешь, мы побродим вместе, ты познакомишь меня с городом, с твоими друзьями, а может, в этот раз я просто засяду писать, а ты станешь на меня смотреть.

До скорой встречи, хотя, когда стремишься к человеку, время словно бы стареет и еле-еле плетется.

Пол».

Заканчивая письмо, он подумал, что Кионг, наверное, уже встала. В какой момент дня она прочтет слова, которые он только что ей отправил? Этот вопрос надолго лишил его сна.

Артур положил компьютер себе на колени, вошел на сайт знакомств, ввел логин и пароль и открыл созданный им аккаунт с единственной целью — безжалостно его удалить. Под фотографией его лучшего друга мигал конвертик. Артур оглянулся на Лорэн, но она уже спала. Поколебавшись совсем недолго, он кликнул по конвертику.

«Дорогой Пол,

мы говорили о телефонных звонках, но не об электронных письмах, так что они не в счет.

В конце моей записки вы найдете мой адрес, мы сможем общаться не через этот сайт, и это позволит больше не вспоминать те унизительные минуты.

Я хотела поблагодарить вас за этот незапланированный обед и попросить не переживать из-за моего «ничего». Я вспоминала ваш сюжет, и мне захотелось узнать продолжение, так что забудьте про пустые страницы, вернее, побыстрее их заполните. Я предвкушаю посещение Оперы, особенно когда туда никого не пускают. Запрет очень вдохновляет.

Вечер в ресторане был тяжкий, слишком много народу, но такова расплата за успех, перед моей кухней невозможно устоять.

Желаю вам спокойной ночи.

До скорой встречи,

Миа».

180

— Можно забрать компьютер? — спросила Дейзи, просовывая голову в дверь комнаты Миа.

— Я только что закончила.

— Кому ты пишешь? Я слышала, ты стучала по клавишам как угорелая.

— У меня трудности с французской клавиатурой, у вас буквы на неправильных местах.

— Так кому? — повторила Дейзи, присаживаясь в ногах кровати.

— Крестону, давно не сообщала ему о себе.

— Пишешь что-то хорошее?

— Мне нравится моя парижская жизнь, даже работа в ресторане.

— Сегодня вечером народу было маловато, если так пойдет и дальше, придется закрывать лавочку.

Миа отложила компьютер и сосредоточила все внимание на подруге:

— Просто плохой период, у людей нет денег. Кризис не может длиться вечно.

— У меня тоже нет денег, при таких тенденциях моему ресторану тоже придет конец.

— Если тебе больше не нужна моя помощь, то разреши хотя бы дать тебе взаймы.

— Извини, не нужно. Я сижу без гроша, но у меня есть собственное достоинство.

Дейзи прилегла рядом с Миа. Ей помешало что-то твердое под подушкой, она пошарила там рукой и достала книгу. Перевернув ее, она прочла текст на задней странице обложки.

— Почему-то мне кажется знакомым это лицо... — пробормотала она, глядя на фотографию автора.

— Он американец, очень известный.

— У меня никогда нет времени на чтение. Определенно я его знаю... Наверное, он бывал в моем ресторане.

— Кто знает? — отозвалась Миа, краснея.

— Ты купила ее сегодня? О чем она?

— Я еще не начала читать.

— Купила, не зная, про что это?

— Я послушалась совета продавца.

— Что ж, читай, а я пошла спать, устала как собака.

Дейзи поднялась и побрела к двери.

— А книга? — робко напомнила Миа.

Дейзи, машинально забравшая книгу с собой, еще раз взглянула на фотографию и бросила книгу на кровать.

— До завтра.

Она затворила дверь, но тут же снова в нее заглянула.

— У тебя странный вид.

— Странный — это как?

— Не знаю. Может, книжка — подарок того незнакомца с телефоном?

— Сама видишь, она же не на шведском с севера Швеции!

Дейзи окинула Миа подозрительным взглядом и вышла.

— Точно тебе говорю, вид у тебя какой-то странный, — донеслось из-за двери.

10

184

Зазвенел будильник. Лорэн потянулась всем телом и прижалась к Артуру.

— Хорошо спал? — спросила она, целуя его.

— Лучше не бывает.

— И откуда такое хорошее настроение?

— Я должен тебе кое-что показать.

Он весело достал из-под кровати компьютер и открыл его.

— После ужина, занявшего каких-то десять минут, разродиться таким письмом!..

Лорэн закатила глаза.

— У них возникла взаимная симпатия? Тем лучше. Но все равно твоя шутка — это дурной тон. Не спеши с выводами.

— Я делаю выводы из того, что читаю.

— Он влюблен в свою переводчицу-кореянку. Сомневаюсь, что эта незнакомка сможет что-то изменить. Вряд ли она уделит ему внимание.

— Там видно будет. Пока что я распечатаю это и положу ему на стол.

— Зачем?

— Пусть знает, что я не дурак.

Лорэн перечитала текст.

— Она играет на струнах дружбы.

— Откуда ты знаешь?

— Потому что я женщина. К тому же это написано здесь черным по белому: «электронные письма не в счет», с женского на общечеловеческий это переводится как «я не обольстительница». Потом она намекает на ужин, на который шла, чтобы с кем-то встретиться. То, как она об этом говорит, показывает, что этот кто-то — не Пол.

— А «запреты вдохновляют» — разве не кокетство?

— Помяни мое слово, Пол уедет из Парижа. Если хочешь знать мое мнение, эта женщина только что с кем-то порвала и ищет себе друга, не более того.

— Напрасно ты занялась нейрохирургией, тебе бы в психологи пойти!

— Шуточка так себе, ответа не будет. Предположим, что в этом послании есть некая дву-

185

смысленность. Так что если хочешь, чтобы Пол заинтересовался этой особой, лучше ничего ему не говори.

— Ты так думаешь?

— Иногда мне кажется, что я знаю твоего лучшего друга лучше, чем ты. Во всяком случае, лучше разбираюсь, как работает его голова.

Сказав это, Лорэн отправилась готовить завтрак.

В гостиной она обнаружила Пола, прикорнувшего на диване. При ее появлении он зевнул и поднялся.

— У тебя не хватило сил добраться до кровати?

— Я работал допоздна. Устроил себе небольшой перерыв и, кажется, проспал здесь всю ночь.

— Ты всегда засиживаешься за работой до ночи, Пол?

— Не всегда, но часто.

— Ты ужасно выглядишь. Тебе нужно привести себя в порядок.

— Это совет врача?

— Скорее друга.

Пока Лорэн подавала Полу кофе, он проверял свою почту, хотя знал, что Кионг никогда не отвечает сразу. Потом он с раздосадованным видом удалился к себе в спальню.

Когда появился Артур, Лорэн поманила его пальцем.

— Что? — спросил он шепотом.

— Наверное, нам придется повременить с отъездом.

— С ним что-то не так?

— Все не так: у него настроение на нуле.

— Вчера вечером он был в форме.

— То было вчера вечером.

— С моим настроением все хорошо! — крикнул Пол из спальни. — Я все слышал, — сообщил он, присоединяясь к ним.

Артур и Лорэн некоторое время молчали.

— Почему бы тебе не поехать с нами на несколько дней на юг? — спросил наконец Артур.

— Я пишу роман. До отлета мне осталось три недели. Я хочу привезти Кионг по меньшей мере сотню страниц, а главное, чтобы они ей понравились и чтобы на этот раз она ими гордилась.

— Вылезай из своих книг, вспомни про настоящую жизнь, встречайся с другими людьми, кроме своих собратьев бумагомарак.

— Я встречаюсь с читателями, которым хочется, чтобы я подписал им свою книгу.

— Любопытно, что ты им говоришь, кроме «здравствуйте», «спасибо» и «до свидания»? Может быть, ты им звонишь, когда тебе становится одиноко?

— Нет, для этого у меня есть ты, даже если мешает разница во времени. Хватит за меня беспокоиться. Наслушаюсь вас — и впрямь поверю, что у меня проблемы! А это не так. Мне нравится моя жизнь, моя работа, нравится ночи напролет обдумывать сюжеты, все это мое, подобно тому, как ты, Лорэн, чувствуешь себя в операционной как дома.

— Мне там нравится гораздо меньше, — пожаловался со вздохом Артур.

— Тем не менее это ее образ жизни, и ты не пытаешься ее изменить, потому что любишь ее такой, какая она есть, — ответил ему Пол. — Мы не так уж отличаемся. Воспользуйтесь этим романтическим путешествием, а что до меня, то если корейский вояж излечит меня от аэрофобии, то осенью я нагряну к вам в Сан-Франциско. Как тебе такое название для романа — «Осень в Сан-Франциско»?

— Было бы еще лучше, если бы главным героем стал ты.

Артур и Лорэн собрали чемоданы. Пол отвез их на вокзал. Когда поезд отошел от перрона, он ощутил, вопреки всему что наговорил, навалившийся на него груз одиночества.

Он немного постоял на том месте, где простился с друзьями, потом, засунув руки в карманы, побрел к выходу.

Забирая машину со стоянки, он нашел на пассажирском сиденье записку.

«Если ты обоснуешься в Сеуле, то я сам приеду тебя навестить осенью, даю слово. «Осень в Сеуле» – тоже неплохое название.

Я буду по тебе скучать, старина.

Артур».

189

Он дважды перечитал записку и убрал ее в портмоне.

Поломав голову, как сделать приятным это утро, он решил заглянуть в Оперу. Ему нужно было кое о чем попросить директора.

Миа сидела на своей скамейке на площади Тертр, художник не сводил с нее глаз. Заметив, что она достает из сумочки платок, он отошел от мольберта и присел рядом с ней.

— Неудачный день? — спросил он.

— Нет, удачная книга.

— Такая грустная?

— Сначала она скорее странная, а потом главный герой получает письмо от своей матери, написанное ею перед смертью. Наверное, я смешная, но меня растрогали ее слова.

— Нет ничего смешного в том, чтобы выразить свои чувства. Ваша матушка жива?

— Живее не бывает! Но я много отдала бы, чтобы в один прекрасный день получить от нее такое послание.

— Возможно, она его однажды напишет.

— Я бы удивилась, учитывая наши отношения.

— У вас есть дети?

— Нет.

— Тогда дождитесь, пока сами станете матерью. Вы взгляните на свое детство под другим углом, и тогда ваше мнение о матери полностью переменится.

— Не вижу для этого никаких причин.

— Образцовых родителей не существует, образцовых детей тоже. А теперь я должен вас покинуть, вокруг моих рисунков бродит турист. Кстати, как отнеслась к своему портрету ваша подруга?

— Простите, я его никак ей не отдам, все время забываю. Непременно сделаю это сегодня вечером!

— Торопиться некуда, он пролежал у меня не один месяц.

И художник вернулся к своему мольберту.

———

Пол проскользнул в служебный вход. Грузчики тащили мимо него элементы декораций.

Он обошел их, поднялся по лестнице и постучался в кабинет директора.

— Мы договаривались о встрече?

— Нет, я на минутку, просто попросить вас об услуге.

— Еще об одной?

— Да, но на этот раз о совсем крохотной.

Директор, выслушав просьбу Пола, отказал. Он делал исключение для него одного. Здание Оперы было местом действия романа, и директор предпочитал, чтобы все было изображено без искажений, а не как подсказывает авторская фантазия. Места, куда не было хода публике, оставались недоступными.

— Понимаю, — сказал Пол, — но речь о моей помощнице.

— Была ли она таковой, когда вы ко мне вошли?

— Разумеется, не мог же я ее нанять между дверью и этим креслом!

— Сначала вы говорили о «знакомой».

— Знакомая может быть помощницей, одно другому не мешает.

Директор поднял глаза к потолку, ища решение там.

— Мне очень жаль, но нет. И не настаивайте.

— Тогда не упрекайте, если я неверно опишу вашу Оперу. Я не вездесущ.

— Посвятите больше времени вашим изысканиям, только и всего. А теперь оставьте меня, я работаю.

Пол удалился, полный решимости не отступать. Обещание есть обещание, в жизни ему доводилось получать и более категоричный отказ. Он направился к кассе, купил два билета на вечернее представление и отправился вынашивать дальнейший план.

Выйдя на ступени, он стал набирать номер Миа, передумал и отправил ей сообщение:

> Сегодня вечером мы идем в Оперу.
>
> Наденьте свитер, плащ. Главное, никаких высоких каблуков, хотя я еще не видел вас на каблуках. На месте вы все поймете. Больше ничего не скажу, это сюрприз.
>
> 20.30, на пятой ступеньке.
>
> Пол.
>
> P. S. Смс не считаются.

Мобильник Миа завибрировал, она прочла сообщение и улыбнулась, потом вспомнила, что обещала помочь Дейзи, и улыбка пропала.

193

———

Гаэтано Кристонели ждал Пола на террасе кафе «Бонапарт».

— Опаздываете!

— В отличие от вас мой рабочий кабинет не за углом. Пришлось постоять в пробках.

— Было бы странно, если бы не было пробок. По телефону вы говорили о срочном деле. У вас какая-то проблема?

— Похоже, стало модно подозревать, что у меня проблемы. Не хватало еще и от вас это услышать!

— Так что вы хотели мне сообщить?

— Я согласен лететь на эту книжную ярмарку на краю света.

— Отличная новость! Хотя у вас все равно не было выбора.

— Выбор есть всегда. Я еще могу передумать. В этой связи у меня есть к вам одна личная просьба. Если я решу провести в Сеуле год или два, согласитесь ли вы заплатить мне небольшой аванс на обустройство? Не хотелось бы расставаться с парижской квартирой, не будучи уверенным.

— Уверенным в чем?

— В том, что я останусь там.

— Зачем вам оставаться в Корее? Вы даже не владеете их языком!

— Об этой трудности я как-то не подумал. Значит, придется овладеть.

— Собираетесь перейти на корейский?

— Нан нига найе палкаракель паражмдултайга наму джоа?

— Что за абракадабра?

— По-корейски это значит: «Мне нравится, когда ты сосешь мне пальцы ног».

— Видно, вы совсем свихнулись. Как можно молоть такой вздор?

— Мне нужно получить у вас не психоаналитическую консультацию, а аванс под мои авторские права.

194

— Вы серьезно?

— Вы сами утверждали, что после успеха в Корее мои книги станут лучше продаваться в США, а там, глядишь, и в Европе. Если я вас правильно понял, то едва я сяду в самолет, как мы станем богачами. Следуя вашей логике, вам не составит труда выдать мне небольшой аванс.

— Это было предположение... Будущее покажет, подтвердится оно или нет.

Кристонели напустил на себя задумчивый вид и продолжил:

— В то же время ваше заявление корейской прессе о намерении поселиться у них в стране произвело бы прекрасный эффект. Когда вы находитесь у издателя под рукой, он очень склоняется производить удвоенные усилия, рекламируя ваши произведения.

— Вот видите... — пробормотал Пол. — Значит, договорились?

— При одном условии! Что бы там ни случилось, вашим главным издателем остаюсь я. Не желаю ничего слышать о прямом контракте с корейцами. Надеюсь, это ясно? До сих пор ваш успех обеспечивал я!

— Не сказать, что этот успех получался очень громким...

— Какая неблагодарность! Вы что же, раздумали получать аванс?

195

Пол решил не зарываться и написал на салфетке сумму, которую хотел получить от Кристонели. Тот возвел очи к потолку, зачеркнул цифры Пола и написал свою сумму, вдвое меньшую.

После этого они пожали друг другу руки, что в этом кругу было равносильно заключению контракта.

— Я вручу вам чек по пути в аэропорт, чтобы убедиться, что вы улетите.

Пол оставил Кристонели расплачиваться по счету.

196

———————

Зайдя домой после обеденного наплыва в ресторане, Дейзи застала Миа на диване в банном халате, с упаковкой бумажных платков в руке и влажным полотенцем на глазах.

— Что случилось?

— Глазная мигрень. Голова просто раскалывается... — простонала Миа.

— Хочешь, вызову врача?

— Без толку. Так уже бывало, обычно это продолжается часов двенадцать, а потом проходит.

— Когда это началось?

— Днем.

Дейзи посмотрела на часы, потом на подругу.

— В таком состоянии ты не сможешь работать. Забудь сегодня вечером про ресторан, поможешь мне завтра.

— Ничего, — отозвалась Миа, — я приду...

Но, едва произнеся эти слова, она сжала ладонями виски и застонала.

— С таким видом? Ты распугаешь всех клиентов! Ступай к себе в комнату и ляг.

— Нет, я приду, — заартачилась Миа, уронив руку на диван, — я не могу тебя подвести.

— Робер справится в кухне, я буду подавать. Нам не впервой. А ты приводи себя в порядок. Это приказ!

Миа ушла, забрав с собой бумажные салфетки и придерживая на глазах влажное полотенце.

Как только Дейзи вышла из дому, она выглянула из своей комнаты. Приложив ухо к входной двери, дождалась, пока на лестнице стихнут шаги. Потом, перейдя к окну, проводила подругу взглядом, пока та не свернула за угол.

Тогда она бросилась в ванную и вымыла лицо холодной водой, избавившись от талька на коже и от следов черного карандаша на нижних веках. Если профессия научила ее чему-то полезному, то это умению пользоваться гримом для введения людей в заблуждение. Ища в гардеробе Дейзи плащ, она удивлялась тому, что не чувствует никакой вины. Наоборот, ей было весело. Слишком давно она не испытывала ничего подобного, чтобы теперь не насладиться этим приключением в полной мере.

Надевая кеды, она вдруг задумалась, почему для похода в Оперу приходится так одеваться. В Англии люди всегда ходили на такие спектакли в самых лучших нарядах.

Она изучила себя в зеркале, нашла некоторое сходство с Одри Хепберн, дополнительно улучшившее ей настроение, примерила темные очки и положила их в сумку.

Она выскользнула из ворот, убедилась, что путь свободен, и заторопилась к такси, стоявшему у противоположного тротуара.

———

Пол ждал ее на пятой ступеньке дворца Гарнье.

— Вылитый инспектор Клузо[1], — сказал он, вставая навстречу Миа.

— То есть истинный джентльмен! Вы сами велели мне надеть плащ и обувь без каблука.

———

[1] Инспектор Клузо — герой комедийных фильмов про огромный бриллиант «Розовая пантера».

Пол оглядел ее:

— Вы прелестны! Идемте.

Они смешались с публикой, входившей в здание Оперы. За анфиладой вестибюлей Миа восторженно замерла перед главной лестницей, потом настояла, чтобы они подошли к бассейну Пифии.

— Какая красавица! — воскликнула она.

— Недурна, — согласился Пол. — Но нам надо поспешить.

— Все так хорошо одеты, а у меня дурацкий вид. Надо было надеть платье.

— Только не платье! Пошли!

— Что-то я не пойму... Вы же должны были привести меня сюда, когда здание закрыто для публики... Выходит, мы будем присутствовать на представлении?

— Скоро вы все поймете.

Из амфитеатра они перешли на галерею партера.

— Что сегодня дают? — спросила Миа недалеко от входа в зал.

— Понятия не имею. Здравствуйте, — сказал он, проходя мимо двух статуй.

— Кого вы приветствуете? — спросила Миа шепотом.

— Баха и Гайдна, я всегда их слушаю, когда пишу. Элементарная вежливость.

199

— Можно мне все-таки узнать, куда мы идем? — не унималась Миа.

— К своим местам, — ответил Пол на ходу.

Билетерша устроила их на откидных сиденьях. Переднее Пол уступил Миа, а сам примостился у нее за спиной.

Сидеть было жестко, Миа был виден только правый край сцены. Это резко отличалось от предпремьерных показов: на них Миа всегда сидела в первых рядах.

А ведь он совсем не похож на скупердяя...

Подняли занавес, и первые десять минут Пол не напоминал о себе. Миа ерзала на своей жердочке, пытаясь устроиться поудобнее. Он дотронулся до ее плеча.

— Простите, что я все время верчусь, но я уже отсидела себе заднее место, — шепотом повинилась она.

Пол сдержал смех и наклонился к ее уху:

— Приношу ему свои искренние извинения. Мы уходим, следуйте за мной.

И он, пригибая голову, засеменил к запасному выходу. Миа недоуменно уставилась на него.

Или он действительно не в своем уме, или...

— Вы идете? — позвал он от двери, не переставая втягивать голову в плечи.

Миа подчинилась, горбясь в подражание ему. Он тихо толкнул дверь и вывел Миа в коридор.

— Долго мы будем прикидываться непонятно кем? — не выдержала она.

— Прикидывайтесь кем хотите, только молча.

Он взял ее за руку и потащил за собой по коридору. С каждым шагом по этому лабиринту у нее возникало все больше вопросов.

Вынырнув из очередного прохода, они стали взбираться по винтовой лестнице. Пол пропустил Миа вперед на случай, если она оступится.

201

— Где мы? — шепотом спросила Миа, втянувшаяся в игру.

— Дальше мы пройдем вот по этому мостику. Только, умоляю, не шумите, мы будем прямо над сценой. В этот раз первым буду я.

Он перекрестился, Миа удивилась, и он шепотом признался ей, что от высоты у него может закружиться голова.

Дойдя до противоположного края, он оглянулся и увидел, что она стоит посередине мостика, разглядывая зал. Ему показалось, что она превратилась в ребенка, даже плащ стал ей вдруг велик. Вместо женщины, которую он встречал на ступеньках дворца

Гранье, он увидел повисшую в воздухе девочку, завороженную феерическим зрелищем внизу.

Немного подождав, он позволил себе легонько кашлянуть, чтобы привлечь ее внимание. Миа широко улыбнулась и быстро преодолела вторую половину мостика.

— Невероятно! — сказала она шепотом.

— Знаю, но вы еще ничего не видели.

Он взял ее за руку и повел к двери, за которой была еще одна лестница.

— Мы увидим озеро?

— Странные вы, англичане! Откуда на верхнем этаже озера?

— Мы могли бы спуститься вниз.

— Наоборот, мы продолжим подъем. Озера не существует, в действительности это всего лишь бетонированный резервуар, иначе я захватил бы с собой ласты и маску с трубкой.

— Зачем тогда этот плащ? — испуганно спросила Миа.

— Скоро увидите!

Поднимаясь по старой деревянной лестнице, они услышали ужасный скрежет. Миа замерла на месте от страха.

— Это механизмы декораций, волноваться нечего, — успокоил ее Пол.

На верхней площадке Пол нажал на рычаг и пригласил Миа пройти в открывшуюся железную дверь.

Она очутилась на крыше дворца Гарнье, откуда открывался великолепный вид на Париж. Она выругалась по-английски и уставилась на Пола.

— Идите, это неопасно, — подбодрил он ее.

— А вы?

— Я за вами.

— Зачем вы меня сюда привели, раз боитесь высоты?

— Потому что вы этого страха лишены. Это уникальная панорама. Ступайте, я подожду вас здесь. Наслаждайтесь! Людей, которым доводилось видеть Город света таким, можно перечесть по пальцам нескольких рук. Ничего не упустите! Как-нибудь зимним вечером, сидя перед камином в старом английском особняке, вы расскажете маленьким лордам, вашим правнукам, как однажды вечером любовались Парижем с крыши Оперы. Возраст заставит вас забыть мое имя, но вы будете помнить, что в Париже у вас был друг.

Миа посмотрела на Пола, не выпускавшего дверную ручку, и двинулась по крыше. Она увидела церковь Мадлен, Эйфелеву башню, резавшую лучом небо, в которое Миа глядела сейчас,

203

словно ребенок, считающий звезды и уверенный, что не пропустит ни одну. Потом она остановила взгляд на башнях квартала Богренель. Сколько людей сейчас ужинали, смеялись или плакали за этими окнами, такими же крохотными, как звезды, мерцавшие на небосводе? Она оглянулась на собор Сакре-Кёр, венчающий Монмартрский холм, и вспомнила Дейзи. Перед ней раскинулся весь Париж, никогда еще она не видела такой красоты.

— Как можно было такое пропустить?

— Действительно никак!

Она вернулась к нему, сняла с головы платок и завязала ему глаза, потом повела за руку по крыше. Пол ступал, как эквилибрист по канату, но не сопротивлялся.

— Пусть это эгоизм, — сказала она, снимая с глаз платок, — но как бы я рассказала своим маленьким лордам об этом моменте, если бы не разделила его со своим парижским другом?

Пол и Миа сели на конек крыши и замерли, зачарованные Парижем.

Пошел мелкий дождик. Миа сняла плащ и накрыла им их обоих.

— Вы всегда все предусматриваете?

— Иногда. Отведете меня обратно? — Он протянул ей платок.

Внизу лестницы их встретили двое сотрудников службы безопасности и отвели в кабинет директора, где их ждали двое полицейских.

— Знаю, я нарушил ваш запрет, но мы никому не причинили вреда, — сказал Пол директору.

— Вы знакомы с этим человеком? — спросил директора полицейский по фамилии Мулар.

— С этой минуты — нет. Можете их забирать.

Мулар подал сигнал своим коллегам, и те извлекли две пары наручников.

— Нельзя ли без этого?! — возмутился Пол.

— Боюсь, что нельзя, — проговорил директор. — На мой взгляд, эти люди неуправляемы.

Миа протянула полицейскому руки, посмотрела на часы — и пришла в ужас.

205

Инспектор полиции записал их показания. Пол признал факт правонарушения, взял всю вину на себя и постарался приуменьшить тяжесть содеянного. Он клялся всеми святыми, что никогда больше не повторит ничего подобного. Не заставят же их ночевать в участке?

Инспектор вздохнул.

— Вы иностранцы. Пока я не свяжусь с консульствами ваших государств и не уточню, кто вы такие, отпустить вас не смогу.

— У меня вид на жительство, просто я забыл его дома. Я живу во Франции! — убеждал его Пол.

— Я должен поверить вам на слово?

— Моя компаньонка меня убьет! — пробормотала Миа.

— Вам кто-то угрожает, мадемуазель? — встрепенулся полицейский.

— Нет, это я просто так выразилась.

— Следите за своими словами, мы находимся в комиссариате полиции.

— Почему она вас убьет? — спросил Пол, наклонившись к Миа.

— Что я вам сказал?! — прикрикнул на них инспектор.

— Бросьте, мы не в школьном классе! Похоже, происходящее ставит мою знакомую в невыносимое профессиональное положение. Вы могли бы проявить немного гибкости.

— Надо было думать, прежде чем незаконно проникать в общественное здание.

— Мы никуда не проникали, все двери были открыты, в том числе дверь на крышу.

— По-вашему, гулять по крыше — это не нарушение закона? Вы бы сочли нормальным, если бы я позволил себе то же самое в вашей стране?

— Позволяйте себе что хотите, инспектор, лично меня это не беспокоит. Я бы даже порекомендовал вам два-три места, откуда открывается неповторимый вид.

— Ладно, — вздохнул полицейский, — заприте этих двух чокнутых в камеры. Первым уберите отсюда этого клоуна.

— Подождите! — взмолился Пол. — Если мою личность удостоверит французский гражданин, предъявив вам доказательства, вы нас отпустите?

— Если это произойдет в течение часа, то я еще подумаю. Потом мой рабочий день закончится, и вам придется дожидаться завтрашнего утра.

— Я могу позвонить?

Инспектор пододвинул Полу телефонный аппарат, стоявший на столе.

— Вы это серьезно?

— Еще как!

— В такой час?

— В подобных обстоятельствах время не выбирают.

— Могу я уточнить зачем?

— Послушайте, Кристонели, затем, что время поджимает. Поезжайте к себе на работу, возьмите копии всех документов и поспешите с ними в комиссариат Девятого округа. Если вы не успеете сделать это в течение часа, то я подпишу договор на свою следующую книгу с Чунг Чан Ву.

— Это еще кто такой?

— Я-то откуда знаю? У моего корейского издателя обязательно окажется сотрудник с таким именем! — гаркнул Пол.

Кристонели бросил трубку.

— Он приедет? — спросила Миа умоляющим голосом.

— Он на все способен, — осторожно ответил Пол, кладя трубку на рычаг.

— Что ж, — молвил инспектор, вставая, — если господин, на которого вы позволили себе орать, окажется настолько глуп, что согласится оказать вам услугу, то вам посчастливится уехать спать домой, в противном случае мы снабдим вас одеялами. Франция — цивилизованная страна.

Пола и Миа повели к камерам. Из учтивости их не стали запирать вместе с пьяницами.

Когда за ними захлопнулась дверь, Миа села на скамейку и стиснула ладонями виски.

— Она никогда меня не простит!

— Можно подумать, что мы задавили старушку! Почему вы так переживаете? Она никак не сможет узнать, что мы здесь.

— Мы живем в одной квартире. Вернувшись из ресторана, она увидит, что меня нет, и завтра утром меня тоже не окажется на месте.

— Разве в вашем возрасте человек не вправе ночевать не дома? Она действительно ваша компаньонка или?..

— Или кто?

— Никто.

— Я разыграла мигрень, чтобы не работать сегодня вечером, хотя была очень ей нужна.

— Согласен, это некрасиво.

— Спасибо, вы так аккуратно посыпали рану солью!

Пол молча уселся рядом с ней.

— У меня есть мысль, — заявил он через некоторое время. — Это всего лишь мысль... Задержание, наручники, комиссариат — обо всем этом вряд ли стоит рассказывать вашим маленьким лордам.

— Вы шутите? Это будет их любимый эпизод! Бабушка ночевала в «обезьяннике»!

В замочной скважине заворочали ключом. Дверь камеры открылась, полицейский велел им выйти и отвел в кабинет инспектора, где Кристонели, уже продемонстрировавший копию вида на жительство Пола, подписывал чек на сумму штрафа.

— Прекрасно! — сказал инспектор. — Можете выметаться вместе с ним.

Кристонели, обернувшись, обнаружил рядом с Полом Миа и испепелил Пола взглядом.

— То есть как? — напустился он на инспектора. — За такую цену я не могу забрать обоих?

— У мадам нет документов!

— Мадам — моя племянница, клянусь честью!

— У итальянца племянница англичанка? Да у вас тут целый интернационал!

— Я натурализованный француз, господин инспектор! — возмутился Кристонели. — Да, наша семья — европейцы в третьем поколении, чужаки или авангардисты, это уж как вам больше нравится!

— Убирайтесь все! Вас, мадемуазель, я жду завтра днем с паспортом, вам понятно?

Миа послушно кивнула.

За дверями комиссариата Миа поблагодарила Кристонели, тот церемонно поклонился.

— Для меня это удовольствие, мадемуазель. Странно, но у меня впечатление, что мы где-то встречались. Мне знакомо ваше лицо.

— Сомневаюсь, — ответила Миа, покраснев. — Может, я на кого-то похожа?

— Скорее всего, хотя я готов поклясться...

— Сколько пафоса! — фыркнул Пол.

— Да что с вами сегодня?! — не выдержал Кристонели.

— Вы всех женщин обольщаете с помощью таких старых избитых приемов? «Уверен, мы с вами где-то встречались...» — передразнил он итальянца, корча гримасу. — Слезы, да и только.

— Вы совсем спятили, мой милый! Я совершенно искренен: уверен, что где-то уже видел мадемуазель.

— Это не важно, мы торопимся, карета мадемуазель вот-вот превратится в тыкву. Отложим обмен любезностями на другой раз.

— Прямо так, даже спасибо не будет? — проворчал Кристонели.

— Разумеется, я чрезвычайно вам благодарен. А теперь — до свидания.

— Разумеется, сумма штрафа будет вычтена из вашего аванса.

— Похоже, вы с ним старые знакомые, — весело проговорила Миа, когда Кристонели уселся в свою машину.

211

— Это он старый. А нам надо поторопиться. В котором часу ваша компаньонка возвращается из ресторана?

— Обычно между одиннадцатью тридцатью и полуночью.

— В худшем случае у нас осталось двадцать минут, в лучшем — пятьдесят. Скорее!

И он перешел на бег, таща Миа к своей машине.

Распахнув дверцу и приказав ей пристегнуться, он сорвался с места как бешеный.

— Где вы живете?

— Монмартр, улица Пульбо.

«Сааб» помчался по Парижу. Пол гнал по выделенным автобусным полосам, вилял между такси, подрезал мотоциклиста на площади Клиши, за что был облит потоком брани, пешеходы кричали на него за то, что он несется на желтый. Молнией промчавшись по улице Коленкур, он, не сбавляя скорости, свернул на улицу Жозеф-де-Местр.

— Ну и нахватали вы сегодня штрафов! — простонала Миа. — Сбавьте обороты.

— Хотите, чтобы она вернулась раньше вас?

— Ладно, гоните!

Пол вырулил на улицу Лепик. На улице Норвен Миа сползла в кресле пониже.

— Ресторан где-то здесь?

— Только что проехали, — ответила она шепотом.

Последний поворот — и они влетели на улицу Пульбо. Миа показала пальцем на дом, Пол резко затормозил.

— Скорее, — поторопил он ее, — попрощаемся в другой раз.

Они обменялись взглядами, и Миа метнулась к воротам. Пол дождался, пока она войдет, потом еще посидел, глядя на фасад дома. Когда на последнем этаже загорелся и тут же потух свет, он улыбнулся. Он уже трогался с места, когда увидел женщину, входящую в те же ворота. Он трижды просигналил и покатил прочь.

213

———

Дейзи доползла до квартиры вконец измотанная. В гостиной было темно. Она зажгла свет и плюхнулась на диван. На столике лежала книга. Она взяла ее и снова присмотрелась к фотографии автора.

Она тихо постучала в дверь спальни. Миа, открывшая дверь, сделала вид, что ее подняли с постели.

— Как ты себя чувствуешь?

— Лучше, завтра буду в полной форме.

— Приятно слышать!

— Как было в ресторане? Пришлось побегать?

— Случился наплыв едоков, несмотря на дождь.

— Сильный дождь?

— Похоже. У нас прохудилась крыша?

— Нет, а что?

— Ничего.

И Дейзи, не вдаваясь в объяснения, закрыла дверь.

————

Пол поставил машину и поднялся к себе. Усевшись за письменный стол, он хотел было приступить к новой главе, где его немая певица гуляет по крыше Оперы, но тут зажегся экран его смартфона.

> Мои маленькие лорды вместе
> со своей будущей бабушкой
> благодарят вас за чудесный вечер.

> Вы успели вовремя?

> Еще две минуты — и я бы погорела.

Я сигналил, чтобы вас предупредить.

Я слышала.

Она ничего не заподозрила?

Кажется, она заметила мой плащ. Он торчал из-под халата.

215

Вы спите в плаще?

Не успела снять.

Мне очень жаль, что мы угодили в участок...

Штраф пополам, я настаиваю.

Нет, вы моя гостья.

На следующей неделе
вы потащите меня в Катакомбы?

А это считается?

Не считается.

Не понимаю почему.

Потому!

Так бы сразу и сказали.

Значит, договорились?

Может, лучше на выставку
в Большой дворец?
Там меньше мертвецов.

Что за выставка?

Подождите, я посмотрю.

Жду.

Тюдоры.

Хватит с меня Тюдоров!

Тогда музей Орсе?

Может, Люксембургский сад?

Согласен.

Вы сейчас работаете?

Пытаюсь.

Тогда я вас покидаю.
Послезавтра в три часа?

Перед входом,
улица Гинемер.

Экран погас, и Пол вернулся к своему роману. Певица как раз шла по крыше, когда экран снова зажегся.

Умираю с голоду!

Я тоже.

Я застряла в своей комнате.

Снимите наконец плащ
и попробуйте тихонько прокрасться
к холодильнику.

> Это мысль! Все, больше не мешаю вам работать.

> Спасибо.

Пол положил телефон на стол. Как он ни старался на него не смотреть, его взгляд то и дело возвращался к экрану. Поняв, что силы воли у него не хватит, он убрал телефон в ящик стола, который, правда, оставил приоткрытым.

219

Миа бесшумно разделась, накинула банный халат и выглянула из спальни. Дейзи лежала на диване в гостиной и читала роман Пола. Миа вернулась в постель и еще целый час слушала голодное урчание у себя в животе.

11

Ему было совестно, что в последние дни он почти забросил свой роман. Вот и этот вечер не принес перемен. Ему хотелось переработать первые главы, чтобы они понравились Кионг. Та, правда, по-прежнему ему не отвечала, что его изрядно тревожило.

Он задернул шторы, погрузив комнату в темноту, зажег настольную лампу и сел за компьютер.

День получился плодотворным: десять страниц, пять чашек кофе, два литра воды и три пакетика чипсов за семь часов.

Теперь его мучил лютый голод. Он решил, что пора отвлечься от работы и спуститься в кафе. Это было не лучшее место в округе, но там он по крайней мере мог поесть не в одиночестве. Обычно он садился за стойку, и хозяин заведения развлекал его беседой. От него он узнавал местные новости: кто из соседей умер или развелся, кто переехал, какой магазин открылся, какой закрылся, где поменялось расписание работы. Заходила речь и о политических скандалах, о любопытных происшествиях в городе — обо всем этом Пол слышал от Усача (так он прозвал хозяина кафе).

Вернувшись домой, он раздвинул шторы и, глядя, как сгущаются сумерки, снова включил компьютер. От Кионг писем все не было, зато пришло письмо от Артура:

221

«Дорогой Пол,
надеюсь, у тебя все хорошо. Мы чудесно проводим время на Юге, я теперь не понимаю, почему четыре года в Париже, а не в Провансе. Тут чудесные люди, красивейшие пейзажи, великолепная погода, а еще рынки под открытым небом… В общем, ты подумай. Часто счастье таится ближе, чем мы думаем.

Мы сильно скучаем по тебе. Сейчас мы приехали на несколько дней в Италию. Портофино — один из прекраснейших городов, какие я знаю, и вся Лигурия очаровательна.

Дальше наш путь будет лежать в Рим, а оттуда мы улетим прямо в Сан-Франциско.

Позвоню тебе уже из дому. Что у тебя нового?

Лорэн тебя обнимает, я тоже.

Артур».

Письмо было отправлено всего несколько минут назад. Надеясь, что Артур еще на связи, Пол ответил без промедления.

«Дружище,

рад, что ваша поездка проходит так хорошо. Не торопитесь назад. Я случайно наткнулся на отличный сайт краткосрочной аренды жилья. Я решил его испытать, потому что его очень расхваливают, и ваша квартира произвела на нем сенсацию.

Я все устроил. Ваши жильцы, которых я тщательно отобрал, милейшая пара с четырьмя детьми, проживет там до конца месяца. Оплата будет перечислена прямо на счет агентства, тебе останется только взять чек. Надеюсь, это даст вам средства на путешествие по Италии.

Теперь мы квиты!

В моей жизни, к которой ты проявляешь такой интерес, ничего особенного не происходит,

*кроме того, что я много пишу и дата моего от-
лета в Сеул неумолимо приближается.*

Передай Лорэн, что я ее обнимаю.

Пол».

На экране тут же появилось восклицание:
«Ты ведь этого не сделал?!»

Пол, наслаждаясь местью, хотел помучить
Артура, но знал, что тот не отстанет, поэтому
решил ответить, прежде чем продолжить работу.

«Артур,

*если бы я не боялся, что мой крестник прове-
дет у своей крестной больше времени, чем нужно,
я бы сделал это без колебаний. Но я слишком
добр, это меня погубит.*

Так что ты свое еще получишь.

Обнимаю.

Пол».

И, удовлетворенный, он посвятил всю ночь
сочинению новой главы.

———————

— Как ты с ним познакомилась?

— С кем?

— С ним, — ответила Дейзи, кладя книгу на
барную стойку.

223

— Ты не поверишь...

— Когда ты заявилась ко мне со своими пожитками, когда попросила тебя приютить, когда целую ночь ревела у меня на плече, сетуя на то, как Дэвид поступил с тобой, и обвиняя его во всех грехах, разве я тебе не поверила?

— На твоем сайте знакомств, — созналась Миа, потупившись.

— Я же говорила, что где-то его видела! — взорвалась Дейзи. — Вот наглость!

— Это не то, что ты думаешь, клянусь!

— Умоляю, не клянись, это кощунство!

После этих слов Дейзи пошла готовить обеденный зал.

— Перестань, — сказала Миа, подходя к ней, — это моя забота, у тебя достаточно дел на кухне.

— В своем ресторане я буду заниматься тем, чем хочу.

— Ты меня выгоняешь?

— Ты влюбилась?

— Вовсе нет! — возмутилась Миа. — Мы просто друзья.

— Как это?

— Друг — это тот, с кем можно все обсуждать напрямик.

— У вас это взаимное?

— Взаимное, мы с первого ужина договорились быть друг с другом честными.

— Значит, вы вместе ужинали? Когда? Когда ты завалилась спать в плаще из-за глазной мигрени?

— Нет, в тот вечер мы были в Опере.

— Час от часу не легче!

— А в тот раз я тебе сказала, что была в кино.

— Швед?! То есть все это время ты мне врала?

— Это ты назвала его шведом.

— А мобильник?

— Он действительно его забыл.

— Как насчет мигрени?

— Она быстро прошла.

— Понятно...

— Это просто друг, Дейзи, я могла бы вас познакомить. Уверена, вы друг другу понравитесь.

— Еще чего!

— Он работает по ночам, как ты, немного нескладный, но, как и ты, очень забавный, он американец, живет в Париже и одинок, как ты.

— А тебе самой он не нравится?

225

— То есть почти одинок...

— Меня в это не впутывай, хватит с меня безумств со лжехолостяками. Выбирай: накрываешь столики или красишь потолок?

Миа не пришлось просить дважды: схватив стопку тарелок, она принялась проворно их расставлять. Дейзи отправилась на кухню чистить овощи.

— Тебе бы надо по крайней мере с ним увидеться, — сказала Миа.

— Нет!

— Почему?

— Потому что из этого никогда ничего не выходит, и потом он «почти» одинок. А главное, он нравится тебе больше, чем ты готова признать.

Миа подбоченилась и уставилась на Дейзи.

— Я по крайней мере разбираюсь в своих чувствах!

— Неужели? С каких пор? Мчишься через весь Париж, чтобы вернуть ему телефон, врешь, как школьница, идешь в Оперу...

— Не В Оперу, а НА Оперу!

— То есть?

— Мы не были на спектакле. Он водил меня на крышу любоваться вечерним Парижем.

— Либо ты действительно наивная, как дитя, либо обманываешь сама себя. Как бы то

ни было, забирай себе своего бумагомараку
и оставь меня в покое.

Миа нахмурилась и задумалась.

— За работу! — прикрикнула на нее Дейзи. —
Клиенты ждать не будут.

———————

Было уже два часа ночи, а Пол никак не мог
дописать последнюю строчку абзаца. Лучше
не упорствовать, а оставить все как есть. Он
еще раз проверил свою электронную почту,
наконец нашел письмо от Кионг и распечатал его на принтере. Ему нравилось читать
ее письма с бумажного листа: это делало ее
менее виртуальной. Распечатку он унес с собой в постель, чтобы прочесть там.

Вскоре он погасил свет и обнял подушку.

———————

В три часа ночи Миа разбудил виброзвонок
мобильного телефона, лежавшего на ночном
столике. На экране высветилось имя: Дэвид.

У нее отчаянно забилось сердце. Она отложила телефон, снова улеглась и обняла подушку.

12

228 К ограде Люксембургского сада Миа явилась с опозданием. Не найдя Пола, она отправила ему сообщение:

Вы где?

На скамейке.

На какой скамейке?

Чтобы вы меня узнали, я надел желтый дождевик.

Серьезно?

Нет!

Увидев ее, Пол встал и помахал рукой.

— Ну вот, сегодня вы вырядились в плащ, хотя нет никакого дождя.

— Это мы еще посмотрим, — пробурчал Пол, заложив руки за спину.

Миа последовала за ним.

— Ваша ночь прошла под знаком пустой страницы?

— Наоборот, я дописал главу. Сегодня вечером начну следующую.

— Хотите сыграем? — предложила Миа, указывая на игроков в петанк.

— А вы умеете?

— Надеюсь, это несложно.

— Именно что сложно! В жизни сложно все.

— У вас плохое настроение?

— Если я выиграю, за вами ужин.

— А если проиграете?

— Нечестно желать ближнему неудачи. В этой дурацкой игре я стал профессионалом.

229

— Я все же попытаю счастья! — заявила Миа и зашагала к площадке для игры.

Там она спросила у двоих игроков в крес-лах, не против ли они одолжить им свои шары. Игроки не пришли от просьбы в во-сторг, тогда она что-то прошептала на ухо од-ному из стариков. Тот заулыбался и указал на площадку, где лежали крупные шары и один шарик поменьше.

— Начинаем?! — крикнула она Полу.

Пол первым бросил шарик, подождал, пока он остановится, и бросил большой шар, ко-торый описал в воздухе дугу, покатился по земле и замер перед целью.

— Бросить точнее было сложновато...

Миа заняла позицию на глазах у двоих ста-ричков, заинтересовавшихся партией. Ее шар взлетел не так высоко, как шар Пола, и упал в нескольких сантиметрах позади него.

— Неплохо, но недостаточно, — обрадо-вался Пол.

Свой второй бросок он произвел, совершив небольшое вращательное движение кистью. Шар медленно обогнул два других на своем пути и ткнулся в цель.

— Готово! — крикнул Пол в восторге.

Миа заняла позицию, прищурилась и бро-сила. Шары Пола разъехались в стороны,

а шары Миа встали рядышком с шариком-ми-
шенью.

— Каре, чтоб я провалился! — гаркнул один
дед, второй захохотал.

— Вот так-то! — гордо проговорила Миа.

Пол ошеломленно посмотрел на нее и побрел
прочь. Миа помахала обоим старикам и под их
аплодисменты побежала догонять Пола.

— Вам не стыдно так плохо играть? — спросила она, поравнявшись с ним.

— Вы будете утверждать, что играли впервые в жизни?

— Не буду. Я ведь все детство проводила
лето в Провансе. Когда женщины что-то рас-
сказывают, вы никогда их не слушаете.

— Я вас слушал, — возразил Пол. — Просто
в тот вечер мозги у меня были слегка набе-
крень. Надеюсь, можно не напоминать вам
про обстоятельства нашего знакомства?

— Признавайтесь, чем вы так огорчены!

Пол достал из кармана лист бумаги и дал ей.

— Я получил это вчера вечером.

Миа остановилась, чтобы прочесть написанное.

«Дорогой Пол,
я счастлива, что ты приедешь в Сеул, хотя
у нас не будет возможности быть вместе столько,

231

сколько мне хотелось бы. Книжная ярмарка накладывает на меня профессиональные обязанности, от которых я не могу уклониться. Ты будешь приятно удивлен приемом, который тебе окажут твои читатели. Ты нужен им гораздо больше, чем я. Ты здесь знаменитость, тебя ждут с нетерпением. Готовься, ты будешь нарасхват. А я постараюсь выкроить время и показать тебе мой город, если твой издатель нас отпустит...

Я бы с радостью поселила тебя у себя, но это невозможно. Я живу в одном доме с родителями, и отец — человек строгих правил. Мужчина, ночующий у его дочери, — это недопустимое для него нарушение правил приличия. Догадываюсь, что ты будешь разочарован, разделяю твои чувства, но, пойми, нравы и традиции здесь не такие, как в Париже.

С радостью жду встречи.

Счастливого пути!

Твоя любимая переводчица
Кионг».

— Довольно прохладно, — согласилась Миа, отдавая ему письмо.

— Просто лед!

— Не надо преувеличивать. Попробуйте прочесть между строк. Ее письмо кажется мне очень целомудренным.

— Когда она бывает в Париже, я бы не назвал ее целомудренной.

— Там вы будете у нее, это совсем другое дело.

— Вы женщина, должны читать между строк лучше меня. Любит она меня или нет?

— Уверена, что любит.

— Тогда почему бы не написать об этом? Так трудно в этом признаться?

— Целомудрие мешает...

— Когда вы любите мужчину, вы ему об этом говорите?

— Необязательно.

— Что же вам мешает?

— Страх! — выпалила Миа.

— Страх чего?

— Страх напугать.

— Как все это сложно! Что же делать, когда любишь: говорить или не говорить?

— Лучше немного подождать.

— Чего ждать? Пока не станет поздно?

— Чтобы не оказалось рано.

— Как понять, что наступил момент открыть правду?

— Думаю, когда будете уверены.

— А вы были уверены?

— Да, так и произошло.

— И вы признались ему в любви?

— И это тоже.

— Он тоже признался вам в любви?

— Да.

Лицо Миа омрачилось, и Пол это заметил.

— Вы только что расстались, а я так грубо напомнил вам о вашей беде. Так эгоисточно с моей стороны!

— Нет, скорее трогательно. Если бы всем мужчинам хватало смелости показывать, что и они уязвимы, от этого очень многое изменилось бы.

— Думаете, мне надо ей ответить?

— Я думаю, что вы скоро увидитесь, и при личном общении она не устоит перед вашим обаянием.

— Вы ведь надо мной насмехаетесь? Знаю, я смешон.

— Вовсе нет, вы откровенны. Не смейте меняться!

— Как насчет вафель с «Нутеллой»?

— Я не против, — согласилась Миа со вздохом.

Пол подвел ее к киоску, купил две порции вафель и отдал первую Миа.

— Если бы он вернулся, — заговорил он с набитым ртом, — если бы попросил прощения, вы бы дали ему второй шанс?

— Даже не представляю!

— Он не звонил вам с тех пор, как...

— Нет! — перебила его Миа.

— Вон там фонтан, в котором дети пускают кораблики, но детей у нас нет, а вон там предлагают покататься на ослике — не желаете?

— Честно говоря, не очень.

— Отлично, ослов с меня и так хватает. Там теннисные корты, но в теннис мы не играем. Кажется, все. Идемте, мне осточертел этот сад и целующиеся парочки.

Пол вывел Миа на улицу Вожирар, потом они спустились по улице Бонапарта и дошли до площади Сен-Сюльпис, где раскинулся блошиный рынок.

235

Они долго бродили среди рядов, пока не остановились у одного из прилавков.

— Симпатичные, — сказала Миа, глядя на старинные часы.

— Да, но суеверие помешало бы мне носить предмет, принадлежавший раньше другому человеку. Вернее, мне потребовалась бы уверенность, что этот человек был счастливчиком. Не смейтесь надо мной, я верю в память вещей. Они излучают хорошие и плохие волны.

— Неужели?

— Несколько лет назад я купил на таком вот блошином рынке хрустальное пресс-папье. Продавец утверждал, что это вещь девятнадцатого века. Я ни капли ему не поверил, но внутри пресс-папье было искусно выгравировано женское лицо. С того дня, как я сделал эту покупку, меня преследуют неприятности, попросту говоря, не жизнь, а сплошное дерьмо.

— Какого рода дерьмо?

— А вам идет время от времени произносить грубые слова.

— Как это?

— Не знаю, при вашем выговоре это звучит сексуально. Так о чем мы говорили?

— О ваших неприятностях. О сплошном дерьме.

— Нет, вам это действительно идет! Началось с прохудившегося крана, назавтра сломался компьютер, потом моя машина угодила на штрафстоянку, меня свалил грипп, в понедельник соседа снизу хватил инфаркт, а стоило мне поставить чашку с кофе на письменный стол рядом с пресс-папье, как она опрокидывалась. Наконец, у чашки отломилась ручка, и я чудом не обварился. Тут я заподозрил пресс-папье в зловещей силе. Помните, я жаловался вам на синдром пустой страницы? Так вот, это была хроническая пустота, белизна, как на вершине

Килиманджаро. Потом я споткнулся о ковер, шлепнулся ничком на пол, сломал себе нос. Видели бы вы меня: весь в крови, сижу запрокинув голову, ору на всю квартиру! В итоге потерял сознание. На счастье, у одного из моих коллег-писателей обнаружился дар ясновидения. Раз в две недели ужинаем с собратьями по перу в бистро, травим байки. Кстати, пора перестать посещать эти сборища, тоска смертная! В общем, увидев мой заклеенный нос, он проявил обеспокоенность моей судьбой. Когда я поведал ему, что со мной творится со времени покупки пресс-папье, он зажмурился и спросил, не выгравировано ли на хрустале женское лицо.

— Вы ответили, что да?

— Возможно, уже не помню. Одним словом, он посоветовал поскорее избавиться от этого предмета, но, главное, постараться его не разбить, чтобы не высвободить мрачные силы.

— Вы отнесли его в мусорный контейнер? — спросила Миа, стискивая зубы, чтобы не рассмеяться.

— Лучше! Я завязал его в ткань, упаковал, сел в машину, заехал на мост Альма и — плюх! — утопил пресс-папье в Сене.

Миа больше не смогла сдержаться и расхохоталась.

— Умоляю, не меняйтесь! — простонала она, утирая глаза. — Я вас обожаю!

Пол недоуменно покосился на нее и пошел дальше.

— У вас просто мания надо мной издеваться.

— Клянусь, никакой мании... Итак, вашим неприятностям пришел конец, стоило утопить пресс-папье?

— Представьте, да! Все пришло в норму.

Миа, продолжая смеяться, повисла на руке Пола, когда он ускорил шаг.

На пути им попался книжный магазин, специализирующийся на старинных рукописях. Главное место в витрине занимали письмо Виктора Гюго и стихотворение Рембо, написанное на тетрадном листке.

Миа остановилась как вкопанная.

— Стихотворение или проза не могут принести несчастья?

— Наверное, нет, — согласился Пол.

Она толкнула дверь магазина.

— Как чудесно держать в руках письмо знаменитого писателя! Это почти то же самое, что вызвать его на откровенность, войти к нему в доверие. Лет через сто такие же люди, как мы, будут восторгаться, натыкаясь на ваши письма переводчице. Она станет вашей женой, и эти письма окажутся началом драгоценной переписки.

— Я не знаменитый писатель и никогда им не стану.

— Я не разделяю вашего пессимизма.

— Вы прочли один из моих романов?

— Целых два. Я плакала над письмами матери в первом.

— Честно?

— Не стану же я здесь плеваться в доказательство своей искренности! Это было бы верхом неприличия. Придется вам поверить мне на слово.

— Простите, что заставил вас плакать.

— Незаметно, чтобы вам было совестно! Я впервые за сегодняшний день вижу вашу улыбку.

— Признаться, я доволен, но не тем, что вы плакали... Хотя, честно говоря, этим тоже. Такое событие следует отпраздновать. Приглашаю вас в кондитерскую «Ладюре». Это в двух шагах отсюда. Если вам еще не доводилось пробовать их печенье макарон, то вам неведомо абсолютное наслаждение. Хотя, может быть, я ошибаюсь, вы ведь шеф-повар.

— Хорошо, но после этого мне придется вернуться в ресторан: моя кухня не доставит

239

посетителям наслаждения, если я не встану к плите.

Они сели за угловой столик и заказали горячий шоколад для Миа и кофе для Пола, а также ассорти из печенья макарон. Официантка, собирая для них поднос, не сводила с них глаз; Пол и Миа услышали, как она, поедая их глазами, шушукается с коллегой.

Проклятье, она меня узнала! Где тут туалет? Нет, не туда, в мое отсутствие она может с ним заговорить. Если она кому-нибудь расскажет, что видела меня здесь с мужчиной, Крестон меня убьет. Единственный выход – настаивать, причем убедительно, что она обозналась...

Официантка вскоре вернулась и, ставя на столик чашки, проговорила робким голосом:

— Извините, но вы ужасно похожи на...

— Ни на кого я не похож! — возмутился Пол. — Я — никто!

Молодая женщина еще раз извинилась и, пристыженная, отошла.

Побагровевшая Миа поспешно надела темные очки и обернулась к Полу.

— К сожалению, время от времени со мной случается что-то в этом роде, — сказал тот.

— Понимаю, — ответила Миа, стараясь унять сердцебиение. — Ваша известность перевалила за городскую черту Сеула.

— Возможно, она стала проникать в этот квартал, но дальше — ни-ни. Мне случается часами торчать в большом торговом центре, и меня не узнают ни в одном книжном магазине, что только к лучшему. Она, наверное, читала что-то из моей писанины, напрасно я так отреагировал, это от смущения, я вас не предупреждал, что я скромник?

— *Твое эго только что спасло мне жизнь!* Ничего страшного! В следующий раз преподнесите ей свою книгу с автографом, то-то она обрадуется!

— Замечательная идея!

— Вернемся к вашей певице. Как развивается ее история?

— Критик провожает ее до дома, не раскрывая своих подозрений. Он представляется, выдает себя за сочинителя, уверяет ее, что она похожа на одну из героинь его романа. Кажется, он начинает испытывать волнующие чувства.

— А она?

— Еще не знаю, пока рано об этом судить. Она скрывает от него, что давно положила на него глаз, ей страшно, но в то же время теперь ей не так одиноко.

— Какое она примет решение?

— Думаю, сбежать, чтобы сохранить свою тайну. Она не может быть с ним искренней, но и врать о том, кто она, тоже не может. Я подумываю о том, чтобы ввести в сюжет ее бывшего импресарио. Что скажете?

— Не знаю, прежде чем советовать, я должна прочесть.

— Не хотите ли заглянуть в первые главы?

— Если вы не против, я была бы просто счастлива!

— Я еще никому не давал читать свои незаконченные рукописи, не считая Кионг. Но ваше мнение может оказаться очень полезным.

— Отлично, когда вы будете готовы, я стану вашей первой читательницей. Обещаю, я буду с вами совершенно откровенной.

— А я, со своей стороны, не прочь полакомиться как-нибудь вечером вашей стряпней.

— Вот этого не надо! Когда у шеф-повара запарка, лучше к нему не приближаться. Возня, пот... Не сердитесь, но я против.

— Понимаю, — согласился Пол.

Они расстались у станции метро «Сен-Жермен-де-Прэ». Пол прошел вдоль здания своего издательства и, как ему показалось, увидел в окне кабинета Кристонели. Он прошел мимо и вернулся домой.

Вечер он посвятил своей рукописи, напрягая воображение, чтобы представить судьбу бывшей певицы. Чем дальше он продвигался в этой истории, тем сильнее героиня смахивала на Миа: она говорила ее языком, двигалась, как она, отвечала вопросом на вопрос, смущенно улыбалась, когда волновалась, хохотала до слез, приобрела привычку смотреть отсутствующим взглядом, совсем как Миа, позаимствовала ее скромное изящество. Пол лег спать только на рассвете.

243

———

Его разбудил уже в разгар дня звонок издателя. Кристонели ждал его в своем кабинете. По пути Пол купил круассан, съел его за рулем своего «сааба» и прибыл с опозданием всего на полчаса.

Кристонели встретил его с распростертыми объятиями: за этим крылся какой-то подвох.

— У меня две хорошие новости! — воскликнул издатель. — Обе сногсбивательные.

— Начните с плохой.

Кристонели окинул его удивленным взглядом.

— Я получил письмо от корейцев. Вы приглашены в редакцию вечерней газеты, там вас будут снимать для литературной телепрограммы.

— Теперь давайте хорошую новость.

— Я ее уже сообщил.

— Я близок к обмороку, когда на встречу приходит больше двадцати читателей, а вы хотите, чтобы меня снимали для телевидения? Надеетесь, что я сыграю в ящик в прямом эфире?

— Вас перед камерой будет всего двое. Никаких причин для обморока!

— Двое?

— Главный приглашенный — Мураками. Представляете, как вам повезло?

— Час от часу не легче! Я стану довеском к Мураками? Прежде чем хлопнуться в обморок, я, чего доброго, облюю ботинки ведущего, телезрители примут это на ура.

— Богатая идея, уже на следующий день ваши книги будут продаваться тоннами.

— Вы меня не слышите? Я не могу сниматься для телевидения, у меня будет приступ удушья, я уже сейчас задыхаюсь, а в Корее я издохну на глазах у миллионов телезрителей. Вы станете сообщником убийства.

— Прекратите это кино! Опрокинете перед началом рюмочку коньяку — и все пройдет великолепно.

— Хорош я буду пьяный перед камерой!

— Тогда выкурите косячок.

— Однажды выкурил — потом два дня видел на потолке своей комнаты коровьи гнезда. А вы видели?

— Дорогой Пол, послушайте меня: вы постараетесь, и все пройдет чудесно.

— Вы как будто говорили про две новости. Выкладывайте вторую!

— Ввиду того, что ваша программа становится все более насыщенной, вам придется отбыть туда раньше.

Пол вышел от своего издателя, не прощаясь. Прежде чем сбежать, он прихватил со стола экземпляр своего последнего романа.

Он спустился по улице Бонапарт и остановился перед витриной букинистического магазина. В этом магазине он провел четверть часа и вышел оттуда обладателем автографа Джейн Остин, обошедшегося в сумму, равную трем средним месячным зарплатам парижанина.

Следующая его остановка была в кондитерской, где он нашел давешнюю официантку и спросил, как ее зовут.

— Изабель, — удивленно ответила она.

Пол открыл экземпляр своего романа и написал на первой странице: «Изабель, моей верной читательнице, с благодарностью и извинениями за вчерашнее. С дружескими чувствами, Пол Бартон».

Он вручил ей книгу, и она прочла дарственную надпись, не поняв ни слова. Но вежливость взяла верх, и она поблагодарила дарителя, после чего положила книгу на стойку и вернулась к своей работе.

246

Ему хотелось позвонить Артуру, но он не знал, где сейчас находится его друг — все еще в Риме или уже в самолете на пути в Калифорнию.

На улице Жакоб он поймал себя на мысли, что неплохо было бы наткнуться на магазин, торгующий братьями и сестрами, или на заведение, предлагающее близкую родню напрокат. Он представлял, как одиноко ему будет в квартире, и заранее боялся приступа паники. Он сел в свою машину, дожидавшуюся его перед отелем «Бель Ами», и поехал на Монмартр.

— В кои-то веки мне повезло! — пробормотал он, найдя свободное парковочное место на улице Норвен, и, выйдя из машины, пошел дальше пешком. — Она запретила мне ужинать у нее в ресторане, но не приходить к ней в гости. Прилично это или нет? Есть риск ее потревожить, но, с другой стороны, я ненадолго, просто вручу небольшой подарок вместе с первыми страницами своего романа — и раскланяюсь. Нет, страницы романа и подарок — разные вещи, она может заподозрит связь между тем и другим. Вхожу, дарю и ухожу. Вот так будет хорошо и правильно, то что нужно.

Он вернулся к машине и спрятал рукопись в багажник «сааба». При нем остался перевязанный ленточкой конвертик с автографом Джейн Остин.

Через несколько минут, подойдя к «Кламаде», он заглянул в окно и застыл как вкопанный.

Миа, подвязанная фиолетовым фартуком, сервировала стол, Дейзи как будто отдавала ей приказания из глубины помещения.

Насмотревшись на эту сцену, Пол ускорил шаг, на всякий случай загородив лицо ладонью. Миновав ресторан, он чуть не перешел на бег. Остановился он только на площади Тертр.

— К чему эта ложь? Какая разница, официантка она или хозяйка ресторана? А еще говорят о мужском эго! Что она вообразила? Что я не пожелаю дружить с официанткой? За кого она меня принимает? Ладно, с официанткой в «Ладюре» я был не слишком любезен, но все это вранье началось гораздо раньше. «Моя кухня — само наслаждение» — ничего себе! Хотя это не страшно. При некоторых обстоятельствах я тоже выдавал себя невесть за кого. Рассуждаем здраво: либо я ее изобличаю — это было бы приятно, но негуманно, — либо ничего не говорю и протягиваю ей руку помощи, чтобы она созналась сама. Так будет элегантнее.

Он сел на скамейку, достал смартфон и отправил Миа сообщение:

> Все хорошо?

В кармане фартука у Миа завибрировал телефон. Прошлой ночью Дэвид прислал ей три сообщения, умоляя ответить. Если она продержалась до сих пор, то не собиралась дать слабину теперь. Она упрямо раскладывала салфетки, косясь на карман у себя на животе.

— Проверяешь, на месте ли твой пупок? — съязвила Дейзи.

— С какой стати?

— Дэвид не унимается?

— Думаю, да.

— Выключи телефон или прочти его сообщение, а то еще перебьешь мне посуду.

Миа достала телефон, улыбнулась и набрала ответ:

> Да, а у вас?

> Сможете уделить мне минутку?

249

> Я на кухне.

> Это ненадолго.

> Я не прочь вам позвонить, но раз это вы просите, то не надейтесь, что это зачтется.

> Я на лавочке на площади Тертр, в этот раз без плаща.

Все в порядке?

Да. Придете?

Дайте мне пять минут.

Дейзи наблюдала за Миа, держа в руке половник.

— Прости, я выскочу на пару минут, немного пройдусь. Тебе ничего не нужно?

— Нет, разве что человек, который занимался бы залом.

— Все накрыто, в зале ни души. Я вернусь через пятнадцать минут, — ответила Миа, снимая фартук.

Она посмотрела на себя в зеркало над баром, поправила прическу, взяла сумочку, надела темные очки.

— Пожалуй, захвати крекеры! — крикнула Дейзи ей вдогонку.

— Я только пройтись, — отозвалась Миа, пожимая плечами.

Она быстро прошагала мимо знакомого карикатуриста, даже не поприветствовав его, и нашла скамейку, на которой ее ждал Пол.

— Что вы здесь делаете? — спросила она, садясь рядом с ним.

— Я хотел принести вам первые главы своего романа, но, как последний болван, забыл их дома. Было бы глупо удрать, даже не повидавшись с вами.

— Очень мило с вашей стороны.

— Похоже, вы не в своей тарелке — не примите это за банальную игру слов.

— Не выспалась. Меня мучили кошмары.

— Кошмар — это некрасиво состарившееся сновидение.

Миа уставилась на него.

— Почему вы так на меня смотрите? — не выдержал Пол.

— За эти слова я готова вас расцеловать! Просто так.

— Давайте избегать неудобных пауз.

— Раз вы забыли свои главы, то сообщите по крайней мере что-нибудь новенькое про певицу.

— С ней все в порядке. Вернее, нет, у нее возникла проблема...

— Серьезная?

— Ей приспичило завязать дружбу с критиком. Тот окружил ее вниманием.

— Что же ей мешает?

— Вероятно, то, что она не раскрыла ему правду о себе. Ей стыдно, что она — простая билетерша.

— Какая разница?

— Вот и я задаю этот вопрос.

— Устаревшие предрассудки!

— С каких пор?

— Если он такой, то он ее не заслуживает.

— Полностью с вами согласен.

— Нет, это слабовато. Найдите для нее проблему посерьезнее.

— Критик уже не сомневается, кто она такая на самом деле.

— Она об этом не знает.

— Конечно, но как она может быть с ним искренна, если все время ему врет?

Миа посмотрела на Пола и сдвинула темные очки на кончик носа.

— Откуда вы шли, когда мне позвонили?

— Из Сен-Жермен, а что?

— Вы подарили свою книгу вчерашней официантке?

— Странно, что вы об этом спрашиваете, потому что ответ — да.

У Миа упало сердце.

— Что она вам сказала?

— Еле процедила спасибо. Должно быть, злопамятная.

— Больше ничего?

— Нет, было много посетителей, она вернулась к работе, а я ушел.

Миа с облегченным вздохом вернула очки на место.

— У меня мало времени, — сказала она. — Вы хотите сообщить мне что-то еще? У вас тоже растерянный вид.

— В Сен-Жермен меня вызвал издатель. Поездка в Корею начинается раньше.

— Отличная новость! Вы быстрее увидитесь со свой подругой.

— Плохая новость — причина, ускоряющая мой отъезд. Меня приглашают на телепередачу.

— Замечательно!

— Вот только это известие вызвало у меня приступ тахикардии. Ну что я стану рассказывать? Что вообще буду говорить на этой передаче? Кошмар какой-то!

— Когда смотришь в камеру, важны не сами слова, а их музыка. Главное — улыбаться, слова отходят на второй план. Вы очаруете телезрителей своей застенчивостью.

— Что вы понимаете в камерах? Разве вам приходилось бывать на съемочной площадке?

— Действительно... — пролепетала Миа и кашлянула в кулак. — Если бы так случилось, я бы боялась не меньше, чем вы. Я рассуждаю как зрительница.

— Возьмите. — Пол достал из кармана перевязанный ленточкой конверт. — Это вам.

— Что это?

— Откроете и увидите. Только осторожно, не порвите.

Миа вытянула из конверта записку и стала читать:

— «Три фунта моркови, фунт муки, пакет сахара, десяток яиц, пинта молока»... Очень мило с вашей стороны. Хотите, чтоб я все это вам купила?

— Посмотрите на подпись внизу, — подсказал Пол со вздохом.

— Джейн Остин! — ахнула Миа.

— Именно! Согласен, это не самый блестящий образчик ее прозы, но вам хотелось чего-то личного. Даже знаменитостям приходится питаться.

Миа не удержалась и чмокнула Пола в щеку.

— Как это тонко с вашей стороны, я даже не знаю, что сказать...

— Ничего не говорите.

Миа осторожно держала записку и гладила указательным пальцем чернила.

— Мало ли что, — заговорил Пол, — вдруг это вдохновит вас на новый рецепт? Я представил, что вы могли бы заключить это в рамку и повесить на стену у себя в кухне. Тогда Джейн Остин находилась бы вместе с вами у плиты.

— Мне еще никогда не делали таких подарков!

— Подумаешь, кусочек картона!

— Зато на нем собственноручная записка и подпись одной из величайших английских писательниц!

— Вам действительно понравилось?

— Я никогда с ней не расстанусь!

— Тогда я счастлив. А теперь бегите, у вас наверняка пляшет на огне какой-нибудь котелок. Не хотелось бы, чтобы из-за меня подгорело блюдо дня.

— Вы преподнесли мне волшебный сюрприз!

— Мы договорились считать этот визит непредвиденным?

— Да, а что?

— Значит, он не считается.

— Нет, не считается.

Миа вскочила и, прежде чем убежать, еще раз поцеловала Пола в щеку.

Вся эта сцена не ускользнула от внимания карикатуриста. Он, как и Пол, проводил Миа взглядом.

Перед «Кламадой» у Миа опять завибрировал телефон.

> В воскресенье ваш ресторан закрыт?

> Да.

> Знаете, что доставило бы мне удовольствие?

> Нет.

> Отведать вашей еды.

Миа прикусила губу.

> Можно было бы отобедать у вас. Без всякой задней мысли.

Миа посмотрела через витрину на Дейзи.

Дома будет моя компаньонка.

Приготовите еду на троих.

Она толкнула дверь ресторана.

Тогда до воскресенья. Адрес вы
знаете, последний этаж.

До воскресенья.

Спасибо. Миа Остин.:)

— Нашла, что искала? — спросила Дейзи,
выглядывая из кухни.
— Мне надо с тобой поговорить.
— Наконец-то!

———————

Дейзи категорически отказалась участвовать
в затее Миа.

— Ты не должна меня подвести. Не могу же я принять его в твоей квартире одна!

— Почему не можешь?

— Это было бы двусмысленно.

— А так — нет?

— Нет, он не говорит и не делает ничего, что могло бы смущать.

— Я не о нем, а о тебе.

— Я все время тебе твержу: у нас просто дружба в начальной стадии. Я еще не пришла в себя после Дэвида.

— Можешь не морочить мне голову, достаточно посмотреть, как на тебя действуют сигналы твоего телефона. Не хватало только, чтобы ты ввязалась в опасную игру!

— Я не играю, а живу. Как ни странно, он не пытается меня соблазнить. У него есть женщина, но она далеко, мы не делаем ничего плохого, просто боремся с одиночеством: он — со своим, я — со своим.

— Что ж, завтра днем вы продолжите сражение без меня.

— Я не сумею даже омлет приготовить!

— Проще не придумаешь: разобьешь яйца и взобьешь их с ложечкой сливок.

— Не злись, я всего лишь попросила тебя об услуге.

— Я не злюсь, просто не хочу способствовать провалу.

— Почему ты всегда все видишь в черном цвете?

— Не верю, что слышу это от тебя! Ты собираешься открыть своему другу правду? Или ты так сжилась со своей ролью официантки, что забыла, кто ты такая? Как ты поступишь, когда выйдет твой фильм, и на каждом шагу будут красоваться рекламные плакаты с твоей физиономией?

— Пол скоро улетит в Корею и, возможно, поселится там насовсем. В нужный момент я ему напишу и во всем сознаюсь. Он тем временем воссоединится со своей переводчицей и заживет счастливо.

— Ты воспринимаешь жизнь как сценарий.

— Хорошо, я все отменю.

— Ничего ты не отменишь, это было бы слишком невежливо. Ты доиграешь свою роль до конца, даже если потом будешь кусать себе локти.

— Откуда такая доброта?

— Оттуда! — огрызнулась Дейзи и поспешила навстречу посетителям.

13

Миа отправила в корзину уже третий омлет. Первый сгорел, второй получился слишком твердым, третий — слишком жидким.

Зато стол был накрыт удачно, на троих — Миа решила отговориться, что у Дейзи в последний момент возникли неотложные дела, никак не объясняя ее отсутствие. Посреди стола красовался букет цветов, рядом с ним — корзина с фруктами. Гость, по крайней мере, не останется голодным. Услышав, что завибрировал телефон, она вымыла руки, забрызганные до локтей яичными желтками, в десятый раз захлопнула холодильник и взмолилась, чтобы Пол сообщил, что не может прийти.

Я внизу.

Поднимайтесь.

Она оглядела напоследок комнату и побежала открывать окно. Бакелитовая ручка кастрюльки, в которой она грела купленный в магазине яблочный компот, раскалилась и издавала мерзкий запах.

Раздался звонок в дверь. Вошел Пол с пакетиком в руках.

— Очаровательно! Что это? — спросила Миа.

— Ароматическая свеча.

— Прямо сейчас и зажжем! — сказала Миа, решив наказать Дейзи.

— Отличная мысль! *Что меня ждет? Судя по запаху, она зажарила покрышку.*

— Вы что-то сказали?

— Нет. Уютная квартира. А какой вид! *Она смущена, напрасно я напросился в гости. Надо было пригласить ее посидеть на террасе ресторана, погода в самый раз. Но нет, она так старалась, это еще хуже...*

— Начнем с круассанов. *Это я хорошо придумала, пусть наестся до отвала круассанов и шоколадных булочек. Потом я включу вытяжку.*

— Сегодня ваш единственный выходной, а я заставил вас возиться на кухне, как невежливо с моей стороны! Что вы скажете о залитой солнцем террасе?

— Если вам так хочется... *Бог все-таки есть! Прости, Господи, что порой я в Тебе сомневаюсь, обещаю поставить завтра в церкви свечку.*

— Я вас приглашаю, но вы готовились, и мне бы не хотелось показаться невежей. Собственно, для того я и предложил вам выйти. *Десять свечек! Нет, двадцать!*

— Сделаем так, как вы захотите, — мягко сказал Пол.

— Сегодня действительно приятный день, надо было вынести стол на балкон... *Совсем рехнулась, что ты предлагаешь?!*

— Хотите, чтобы я вынес стол?

— Какая терраса у вас на примете? — спросила Миа дрожащим от волнения голосом.

— Любая. Я умираю с голоду.

Хватай сумку, пока он не передумал, назови его идею гениальной и выбегай на лестницу!

Дверь квартиры отворилась. Оба обернулись. Дейзи втащила две здоровенные корзины.

— Хоть бы помогла! — упрекнула она подругу, ставя свои покупки на стол и извлекая три блюда в алюминиевой фольге. — Здравствуйте, я Дейзи, партнерша Миа. А вы — шведский писатель?

— Да, только американский.

— Я оговорилась.

— Что это? — спросил Пол, глядя на блюда.

— Бранч! Моя партнерша — искусная повариха, но подаю всегда я, даже по воскресеньям. Это, если честно, начинает мне надоедать.

— Смеешься? — подключилась к игре Миа. — Еде полагалось созреть. Кто-то должен был тем временем накрыть на стол.

Дейзи незаметно наступила Миа на ногу.

— Посмотрим, что ты нам наготовила, — продолжила она, снимая алюминиевую упаковку. — Провансальская пицца, свекольный пирог, рулетики. Если мы и после этого останемся голодными, значит, придется сменить повара.

— Пахнет изумительно, — похвалил Пол, повернувшись к Миа.

Дейзи дважды понюхала воздух, подошла к столу, нашла ароматическую свечу, поморщилась и отправила ее в мусорный бак. При виде его содержимого она не удержалась от улыбки.

— Хозяйке виднее, — заметил Пол, с трудом скрывая удивление.

Миа сделала жест, давая ему понять, что ее партнерша порой совершает необъяснимые поступки. Это не ускользнуло от внимания Дейзи.

— За стол! — скомандовала она насмешливым тоном.

264

Полу захотелось узнать, как они подружились. Миа принялась рассказывать о первом путешествии Дейзи в Англию. Та перебила подругу и стала рассказывать о первом путешествии Миа в Прованс и о том, как она боялась цикад. Она описывала их ночные вылазки, всякие предосудительные проделки. Пол слушал вполуха, вспоминая, как они с Артуром росли: пансион, дом в Кармеле.

Когда пришло время для кофе, он сам был вынужден отвечать на многочисленные вопросы Дейзи: почему он живет в Париже, откуда взялось его желание писать, кто его учителя, где он черпает вдохновение, как работает? Пол присоединился к игре и стал отвечать как на духу. Говорили они без остановки, помалкивала только Миа, наблюдавшая за собеседниками.

Наконец она встала, собрала тарелки и отнесла их в раковину. Немного погодя Пол попробовал привлечь ее внимание, но она сосредоточилась на посуде.

Пол стал прощаться. Он поблагодарил обеих женщин за прием и за угощение и поздравил Миа с кулинарным успехом: давно его так не потчевали. Уходя, он пообещал Дейзи воздать должное Провансу в одной из следующих глав своей нынешней книги. Миа, вытиравшая посуду, помахала ему рукой. Он закатил глаза и вышел.

Дейзи захлопнула дверь и немного подождала.

— В жизни он гораздо лучше, чем на фотографии в книге, — сказала он, зевая. — Я прилягу, устала до чертиков. Все прошло хорошо, верно? Во всяком случае, он оценил мою... вернее, твою стряпню.

С этими словами Дейзи скрылась в своей комнате. Миа ушла к себе. До конца дня подруги не обмолвились больше ни единым словечком.

Растянувшись на кровати, Миа взяла телефон и перечитала все сообщения Дэвида.

Вечером она натянула джинсы и легкий пуловер и, выходя, громко хлопнула дверью.

Такси доставило ее на площадь Альма. Она села на террасе ресторана и заказала бокал розового шампанского, которое выпила залпом, не отрывая взгляда от экрана телефона. Когда она просила официанта принести еще один бокал, экран зажегся. Это было уже не сообщение, а звонок. После короткого колебания она ответила.

— Что это был за обед? — спросил Пол.

— Второй завтрак, в стиле Ниццы.

— Хорошо, продолжаете дурачиться.

— Интересно, кто здесь дурак?

— Вы где?

— На Альма.

— Что вы делаете на Альма?

— Любуюсь мостом.

— Вот как... Зачем?

— Затем, что мне нравится. Я не имею права?

— Откуда вы им любуетесь?

— С террасы «У Франсиса».

— Я сейчас приеду.

К приезду Пола Миа успела выпить еще четыре бокала шампанского. Он бросил машину во втором ряду и присоединился к Миа.

— Жалоб на пищеварение нет? — задиристо спросила она.

— Мне наплевать, что вы не умеете готовить, и еще больше наплевать, кто вы — официантка или хозяйка, но для меня неприемлемо, что вы устроили весь этот цирк с целью представить мне вашу подругу.

Миа не стала скрывать своих чувств.

— Она тебе понравилась, да или нет?

— Мы уже перешли на «ты»?

— Нет, мы на «вы», это приличнее, да?

— Дейзи очаровательная, жизнерадостная, отменный повар, — громко заговорил Пол, — но с кем я хочу встречаться, а с кем нет, решать мне одному. Я запрещаю своим старым друзьям вмешиваться в мою личную жизнь, и тебе, то есть вам, тоже.

— Хотите снова с ней увидеться? — настойчиво спросила Миа, стараясь перекричать Пола.

В процессе спора их лица сближались, пока не соприкоснулись губы. Оба, ошеломленные, разом умолкли.

— У вас дома я чувствовал себя отвратительно, — произнес Пол чуть слышно.

— Я тоже.

— Мы были далеко друг от друга.

— Так оно и было.

— Сегодня вечером я опишу сцену ссоры и примирения. У меня набралось материала, чтобы накропать не одну страницу.

— Значит, этот обед не был таким уж бесполезным. Если хотите знать мое мнение, ему стоило бы извиниться и признаться ей в своей неправоте.

Пол схватил бокал Миа и осушил его одним глотком.

— Вы уже достаточно выпили, а меня мучит жажда. Не корчите из себя недотрогу, вас выдает блеск глаз. Я вас отвезу.

— Нет, я возьму такси.

Пол заглянул в лежавший на столе счет.

— Ничего себе, шесть бокалов!

— И ни в одном глазу!

— Хватит мне противоречить на каждом слове. Я вас провожу, это приказ.

И он повел Миа к машине. Не дав ей упасть, он устроил ее на сиденье и сел за руль.

До самой улицы Пульбо они ехали молча. Остановившись перед домом, Пол вышел из машины.

— Дальше справитесь? — спросил он, открыв дверцу.

— Обстановка слегка натянутая, но, думаю, все обойдется.

— Я имел в виду подъем по лестнице.

— То, что я позволила себе немного шампанского, еще не делает меня пьяницей.

— Я уезжаю в конце недели, — сообщил он, глядя себе под ноги.

— Уже?

— Я говорил вам, что меня торопят с отъездом, но у вас нет привычки слушать, что вам говорят мужчины.

Миа ткнула его локтем в бок.

— Этот обед нужно кое-чем компенсировать, — заявил Пол.

— Когда именно в конце недели?

— В пятницу утром.

— Во сколько?

— Рейс в 13.30. Можно было бы устроить прощальный ужин, но вы ведь работаете?

— Ужин накануне отъезда — это немного грустно. Может, в среду?

— Да, в среду в самый раз. Какой ресторан предпочитаете?

— У вас, в восемь вечера.

Миа чмокнула Пола в щеку, толкнула створку ворот, оглянулась, одарила его улыбкой и исчезла в дверях дома.

———————

В квартире было темно. Миа выругалась, ударившись о кресло, чудом избежала столкновения со столиком, шагнула в шкаф, тут же оттуда выпала и наконец очутилась в своей комнате. Через несколько минут она уже спала, укрывшись с головой.

Пол, вернувшись домой, тоже открыл дверцы гардероба. Поколебавшись, он выбрал меньший из двух чемоданов и положил его перед кроватью. После этого он большую часть ночи подыскивал слова, сидя перед компьютером. В три часа он отправил Кионг письмо с номером своего рейса и временем прилета и улегся спать.

Дейзи завтракала на кухне. Когда Миа вышла из комнаты, подруга подала ей чай и усадила напротив.

— Что вчера на тебя нашло?

— Тот же вопрос я хотела задать тебе.

— Хочешь знать, зачем я тебе помогла, зачем все воскресное утро посвятила готовке, чтобы ты еще раз побыла чудесной, необыкновенной Миа, которой все удается?

— Прошу тебя, обойдемся без лицемерия, ты разыграла сцену соблазнения, какую я редко наблюдала в твоем исполнении.

— Пожалуй, эти слова талантливой актрисы я приму как комплимент. Разве ты не хотела мне его представить?

— Представить хотела, но чтобы ты с ним кокетничала — нет. У меня создалось впечатление, будто я лишняя.

— Снимаясь в кино, ты случайно не вообразила, что весь мир вращается вокруг тебя?

— Не надо меня воспитывать. Ты права. Ты же у нас всегда права.

— Кое в чем я действительно оказалась права. Ты далеко не так невинна, как притворяешься. У тебя развился вкус к заигрыванию.

— До чего же ты мне осточертела, Дейзи!

— А ты как мне осточертела, Миа!

— Хорошо, мы друг друга достали, я собираю вещи и ухожу. Буду ночевать в отеле.

— Когда же ты наконец повзрослеешь?

— Когда состарюсь, как ты.

— Мне звонил Дэвид.

— Что?

— Хоть я и старше тебя на целых три месяца, зато ты уже оглохла.

— Когда он тебе звонил?

— Вчера утром, когда я пекла свекольный пирог для твоего шведа.

— Тебе еще не надоело? Что ему от тебя понадобилось?

— Чтобы я уговорила тебя ответить на его сообщения и дать ему шанс.

271

— Что ты ему ответила?

— Что я не почтальон. Что он причинил тебе много зла и что теперь ему придется проявить фантазию, чтобы снова тебя завоевать.

— Зачем мне давать ему шанс?

— Потому что он твой муж. «Я еще не пришла в себя после Дэвида» — не ты ли еще недавно так говорила, рыдая у меня на плече? Ну да, у Дэвида случилось небольшое приключение, мимолетная интрижка, но любит он тебя. Миа, ты должна навести порядок у себя в голове. С того дня, как ты ко мне приехала, ты делаешь вид, будто хочешь, чтобы настоящее принадлежало только тебе. И ты добилась своего. Но через несколько дней твой американский друг улетает к своей подружке в Корею. И что ты будешь делать? Наймешься подавальщицей в бистро на Монмартре, чтобы и дальше бежать от себя? Сколько времени это будет продолжаться?

— Пока что я не хочу возвращаться в Лондон, я к этому не готова.

— Пусть так, но ты все-таки подумай. Если хочешь спасти свой брак, то не жди, пока Дэвид перевернет страницу. Осторожно, ты никогда не была в ладах с одиночеством. Я слишком давно тебя знаю, чтобы ты смогла убедить меня в обратном. Ты страдаешь по вине мужчины, и с этим я ничего не могу поделать, но я не хочу видеть, как ты страдаешь по своей собственной вине. Я твоя подруга и если бы сейчас промолчала, то считала бы себя виноватой.

— Тогда ступай отопри ресторан и займись делами на кухне, а я наведу порядок в зале. Мы обсудим наш отпуск. В сентябре можно будет провести вдвоем несколько дней в Греции...

— Сентябрь еще нескоро. Пока что давай проведем последние два дня без ссор.

— Последние два дня?

— Я наняла официантку, она заступает в среду.

— Зачем ты это сделала?

— Ради тебя.

14

Во вторник Пол лег спать в полночь, заведя будильник. В девять часов утра он вышел из дому, остановился выпить кофе, поздоровался с Усачом и отправился за покупками. Первая его остановка была у красочной лавки зеленщика, затем у мясника, у торговки рыбой, в сырной лавке, а закончился его забег в кондитерской. Чуть было не повернув домой, он спохватился и заглянул в винный подвальчик. Там он выбрал две бутылки отменного бордо, потом сверился со своим списком покупок и зашагал обратно.

Остальное время он провел на кухне, к четырем часам дня накрыл на стол, в пять часов принял ванну, в шесть часов вечера оделся и уселся на диванчик, чтобы пробежать одним глазом последние написанные главы; другим глазом он постоянно косился на часы.

Миа долго валялась в постели. Накануне они с Дейзи отметили ее последний рабочий день в ресторане ужином с обильными возлияниями. Прилично набравшись, они отправились проветриться и протрезветь на площадь Тертр. Там, плюхнувшись на скамейку, они попытались решить все мировые проблемы разом, но успеха не достигли. Правда, Миа удалось вырвать у Дейзи обещание, что в конце сентября та закроет свою «Кламаду» и отправится с ней в Грецию.

В полдень Миа вышла прогуляться и поприветствовала на площади Тертр знакомого художника. Позавтракала на террасе кафе, потом побывала в парикмахерской, заглянула в магазин и выбрала там миленькое весеннее платьице. В пять часов, вернувшись в домой, она налила себе ванну.

В 19.30 Пол проверил температуру в духовке, поставил жариться раков, порезал зелень и ссыпал ее в салат, покрыл каре ягненка корочкой из пармезана, убедился, что на столе есть все необходимое, откупорил вино, чтобы оно подышало, и вернулся читать в гостиную. Через четверть часа он опять зашел на кухню, чтобы поставить ягненка в духовку. Снова оказавшись в гостиной, он посмотрел в окно, потом на себя в зеркало, заправил рубашку в брюки и тут же опять ее выпустил, уменьшил температуру в духовке, в который раз выглянул в окно, чуть не взгромоздившись на подоконник, достал каре ягненка из духовки, плюхнулся на диван, посмотрел на часы, отправил первое сообщение, погрузился в чтение, в 21 час отправил второе сообщение, в 21.30 задул в подсвечнике свечи, в 22 часа отправил третье сообщение.

———————

— Почему ты постоянно косишься на свой мобильник?

— Просто так, по привычке.

— Миа, посмотри мне в глаза! Ради тебя я пересек Ла-Манш!

— Я смотрю тебе в глаза, Дэвид.

— Куда ты собиралась, когда я позвонил Дейзи?

— Никуда.

— Ты накрасилась, причесалась. Кстати, чего это вдруг ты коротко подстриглась?

— Захотелось измениться.

— Ты мне не ответила. У тебя намечалась какая-то встреча?

— Свидание с любовником. Ты это хотел услышать? Что ж, теперь мы квиты.

— Я приехал мириться.

— Ты продолжал с ней видеться?

— Нет, я все время тебе твержу, что после твоего отъезда живу в Лондоне один и думаю только о тебе. Я отправил тебе десятки сообщений, но ты не отвечала, поэтому я здесь... Я тебя люблю, я свалял дурака и не могу себе этого простить.

— Но тебе ведь нужно, чтобы я тебя простила? Я тебя прощаю.

— Мне бы хотелось, чтобы ты дала нашему браку второй шанс и поняла, что эта размолвка не имела последствий.

— Для тебя — может быть...

— Мне было худо, эти съемки нас вымотали, до тебя было не достучаться. Я проявил слабость и теперь на все готов, лишь бы ты меня простила. Даю слово, больше я не причиню тебе страданий. Если ты согласишься подвести черту под этой моей ошибкой, согласишься забыть о ней...

— Нажать на клавишу клавиатуры и смотреть, как будущее стирается, подобно страницам рукописи... — пробормотала Миа.

— Что ты сказала?

— Ничего.

Дэвид схватил руку Миа и поцеловал. Она смотрела на него, чувствуя ком в горле.

Почему ты так на меня действуешь, почему в твоем присутствии я перестаю быть собой?

— О чем ты думаешь?

— О нас.

— Лучше бы дала нам шанс! Помнишь этот отель? Мы ночевали здесь, когда впервые приехали вместе в Париж, вскоре после знакомства.

Миа оглядела снятые Дэвидом роскошные гостиничные апартаменты: секретер в стиле Людовика XIV, рядом стул со спинкой в форме лиры, глубокое кресло в маленькой гостиной, кровать а-ля полонез с балдахином.

— Тогда у нас был маленький номер.

— С тех пор мы проделали немалый путь, — возразил Дэвид, обнимая ее. — Завтра мы снова сможем прикинуться туристами, поплаваем по Сене на речном трамвайчике, полакомимся мороженым на острове Ситэ — не помню названия того кафе, зато помню, как тебе там понравилось!

— Это было на острове Сен-Луи.

— Значит, на острове Сен-Луи. Прошу тебя, Миа, проведи этот вечер со мной.

— Мне совершенно нечего надеть.

Дэвид повел ее в гардеробную. Там висели на плечиках три платья, две юбки, две блузки, две пары шелковых брюк, два пуловера с V-образным вырезом. В ящиках были разложены четыре бельевых гарнитура. В сверкающей мрамором ванной комнате Миа ждал большой косметический набор и зубная щетка.

— Я примчался первым утренним рейсом и весь день посвятил шопингу с мыслями о тебе.

— Я устала, идем спать.

— В ресторане ты не притронулась к своей тарелке. Хочешь, я закажу поесть в номер?

— Нет, я не голодна, просто хочу спать. И подумать.

— Все уже продумано, — сказал Дэвид, снова заключая ее в объятия. — Эту ночь мы проведем вместе, а завтра все начнем сначала.

Миа ласково подтолкнула его к двери спальни и заперлась в ванной.

Там, отвернув все краны, она взяла телефон и просмотрела все пришедшие за вечер сообщения.

Все готово, поторопись.

Что ты мешкаешь?
Все пережарится.

Если ты задержалась в ресторане,
это не страшно, я понимаю.
Просто скажи, что все хорошо.

280 Когда она в третий раз перечитывала третье, последнее, сообщение Пола, телефон завибрировал у нее на ладони.

Сажусь писать. Выключаю телефон.
Поговорим завтра. Или не поговорим.

Часы показывали без нескольких минут
полночь. Миа выключила телефон, разделась
и встала под душ.

———————

Пол сбежал по лестнице, толкнул калитку и
набрал полные легкие воздуха. Усач опускал

железную решетку на витрине своего кафе. Услышав шаги, он обернулся:

— Что вы здесь делаете, месье Поль? Чего бродите, как неприкаянный?

— Выгуливаю собаку.

— Вы завели собаку? Где же она, интересно? Отлучилась по своим делам?

— Хотите перекусить, Усач?

— Не отказался бы, но моя кухня закрыта.

— А моя нет. Пошли.

Войдя в квартиру Пола, Усач удивленно уставился на накрытый белой скатертью стол с изысканным убранством, украшенный подсвечником.

— Весенний салат с раками, каре ягненка с пармезаном, пирожное с кремом на десерт... Забыл, еще сырная тарелка и бутылка «Сарже де Грюо-Лароз» 2009 года. Вас устроит? — спросил Пол.

— Глазам своим не верю! Избавьте меня от сомнений. Вы приготовили этот ужин при свечах для меня, месье Поль? Потому что...

— Нет, Усач, не для вас, да и каре ягненка пережарилось.

— Понимаю, — пробормотал Усач, разворачивая салфетку.

281

Мужчины засиделись допоздна. Усач живописал свою родную Овернь, которую покинул в возрасте 20 лет, чтобы стать мясником, рассказывал о своей женитьбе, о разводе, о том, как приобрел первое кафе на площади Бастилии — тогда еще те кварталы не оккупировали богатые бездельники, напрасно он его продал, — потом второе, в Бельвиле, тоже до нашествия богачей; о том, как перебрался в квартал, будущее которого не вызывало ни малейших сомнений.

Пол ничего не рассказывал, он просто слушал своего гостя, погруженный в собственные мысли.

В два часа ночи Усач раскланялся, похвалив Пола за превосходную стряпню. На пороге он похлопал хозяина дома по плечу и вздохнул:

— Вы отличный парень, месье Поль. Ваших книжек я не читал, как-то не пристрастился к чтению, а вот здешний люд очень их хвалит. Когда вернетесь из вашей дальней поездки, я свожу вас отужинать в одно местечко, где собираются трудяги после ночной смены. Ни в каких путеводителях вы его не найдете, зато готовят там — пальчики оближешь, вам захочется прийти туда еще.

Пол отдал ему вторую связку своих ключей, признавшись, что не знает, когда вернется. Усач спрятал ключи в карман и ушел, не проронив больше ни слова.

15

Четверг выдался прохладным. На кораблике, скользившем по Сене, Дэвид вспоминал смешные эпизоды их первой поездки в Париж. Но верно говорят: возвращение на берег — не способ укрыться от прилива. Они поели мороженого на острове Сен-Луи и вернулись в отель. Там они предались любви, потом просто так повалялись в постели.

Днем Дэвид позвонил консьержу и попросил заказать два места на лучшую театральную постановку, а также два билета на самолет в Лондон на следующее утро. Повесив трубку, он сообщил Миа, что пришло время возвращаться домой, и вызвался съездить с ней на Монмартр за вещами.

Миа ответила, что хотела бы собрать чемодан сама и заглянуть на обратном пути к Дейзи. Пообещав Дэвиду не опаздывать, она покинула гостиницу.

Водитель Дэвида доставил ее на улицу Пульбо. Она попросила его подождать и медленно поднялась наверх, скользя рукой по перилам лестницы.

Набив чемодан, она достала из шкафа портрет Дейзи.

———

Пол распечатал готовые главы, сложил страницы в папку, спрятал папку в чемодан. Потом он опорожнил холодильник, закрыл ставни, проверил краны. Обойдя напоследок квартиру, он отнес вниз мусор и отправился к своему издателю.

285

———

Уезжая с Монмартра, Миа попросила водителя заехать на улицу Бретань.

— Можете остановиться на секунду? — спросила она, когда они подъезжали к дому номер 38.

Опустив стекло, она высунулась. Ставни квартиры на четвертом этаже были закрыты.

Когда машина тронулась, она перечитала в телефоне сообщение, пришедшее днем.

> Миа, я зол, но не хочу, чтобы ты об этом знала. Этой ночью я толкнул свою певицу под автобус. Нечего зевать, когда переходишь улицу. Я звонил в ресторан, Дейзи заверила меня, что ничего серьезного не произошло, а это главное. Понимаю твое молчание, так, наверное, лучше, в прощаниях нет никакого смысла. Спасибо за бесценные мгновения. Береги себя — даже если и в этих словах смысла ни на грош.
>
> Пол.

В гостинице Миа изобразила мигрень. Дэвид отказался от театральных билетов и заказал еду в номер.

———

В одиннадцать вечера Дейзи попрощалась с последними клиентами. Вернувшись домой, она обнаружила свой портрет. К нему была приложена записка:

«Дорогая Дейзи,
я возвращаюсь в Англию. Заглянуть в ре-
сторан мне не хватило духу. Ревную к новой
официантке. А если честно, то, увидев тебя, я
могла бы передумать. Дни, проведенные с тобой
в Париже, приоткрыли возможность новой
жизни, и я успела эту жизнь полюбить. Но я
вняла твоим советам и возвращаюсь к собствен-
ной жизни, а тебе оставляю твою.

Я позвоню ему из Лондона через несколько
дней, когда очухаюсь. Не знаю, была ли ты
в курсе, что Дэвид приедет за мной, а если да,
то правильно сделала, что не предупредила.
Не знаю, как отблагодарить тебя за дружбу,
за то, что ты всегда рядом, когда нужна мне,
за поддержку, за то, что не боишься устроить
ссору, за то, что никогда мне не врешь. Я тебя
обманывала, ты знаешь насчет чего, и теперь
прошу прощения.

Тебя нарисовал художник с площади. Ты
легко его узнаешь, он красавчик и такой же кра-
сивой видит тебя.

Уже скучаю по тебе.

Подруга, любящая тебя, как сестра,

Миа.

P. S. Не забудь про свое обещание. В конце
сентября Греция будет наша и больше ничья.
Я сама все устрою».

287

Дейзи схватила телефон. Не дозвонившись Миа, она отправила ей сообщение:

> Надеюсь, что ты будешь скучать по мне так же, как я скучаю по тебе. Моя новая подавальщица — дубина с волосатыми подмышками, уже расколотившая две тарелки. В твоих интересах позвонить мне как можно скорее. Глупи, но не настолько, чтобы следовать моим советам. Умоляю, никогда этого не делай. Во всем, кроме стряпни, твоя лучшая подруга — полный ноль, особенно в том, что касается жизни.
>
> Я тоже люблю тебя, как сестру.

Водитель свернул к аэропорту и затормозил у тротуара. Дэвид распахнул дверцу и подал Миа руку. Она уже собиралась выйти из машины, когда двери терминала разъехались. Миа наметанным глазом заметила папарацци, тем более что те и не собирались прятаться. Около стойки регистрации ее дожидались два молодца с камерами.

Негодяй! Кто мог их натравить, кроме тебя самого? Твой прилет в Париж, твой роскошный но-

мер – все это для того, чтобы нас увидели вместе!
На речном трамвайчике ты постарался, чтобы
я ничего не заметила, а в аэропорту тебя выдала
случайность. А я-то, дура, поверила...

— Ты идешь? — нетерпеливо окликнул ее
Дэвид.

— Подожди меня внутри, мне надо позвонить Дейзи, забыла сказать ей кое-что...
Наши девичьи секреты...

— Я займусь чемоданами?

— Нет, иди, чемоданы принесет водитель.
Мы догоним тебя через пять минут.

— Хорошо, я пока куплю газеты. Не задер-
живайся!

Как только Дэвид отошел, Миа захлопнула
дверцу и наклонилась к водителю.

— Как вас зовут?

— Морис, мадам.

— Морис, вы хорошо знаете этот аэропорт?

— Я вожу сюда пассажиров в среднем четы-
ре-шесть раз в день.

— Знаете, откуда вылетают азиатские
рейсы?

— Терминал 2Е.

— Послушайте, Морис, рейс в Сеул выле-
тает через сорок пять минут. Если вы доста-
вите меня туда за пять минут, то получите
огромные чаевые. — И она полезла в сумочку.

Водитель сорвался с места, взвизгнув шинами.

— Вы принимаете кредитные карточки? — смущенно спросила Миа. — У меня не оказалось наличных.

— Вы хотите успеть на этот самолет?

— Хотя бы попытаюсь.

— Забудьте о чаевых, — сказал водитель, виляя между такси и автобусами. — По-моему, он несносный тип.

Водитель гнал как сумасшедший и через три минуты доставил ее к терминалу 2Е. Выскочив из машины, он достал из багажника чемодан Миа и поставил его на тротуар.

— Как быть с его чемоданом?

— Вы теперь владелец коллекции кашемировых свитеров и шелковых рубашек. Спасибо, Морис.

Миа схватила чемодан и устремилась к стойкам регистрации. Там оставалась одна-единственная сотрудница авиакомпании.

— Здравствуйте, мне надо улететь в Сеул, срочно!

Сотрудница скорчила недоуменную гримасу.

— Я уже собиралась закрывать регистрацию. Боюсь, свободных мест не осталось.

— Я готова лететь в туалете, если нельзя иначе.

— Все одиннадцать часов? — Сотрудница подняла голову. — Я могу отправить вас завтрашним рейсом.

— Очень вас прошу! — взмолилась Миа, снимая темные очки.

— Вы?..

— Да, я! Для меня найдется местечко?

— Так бы сразу и сказали! Есть одно, в первом классе, за полный тариф.

Миа достала кредитную карточку.

— Дата возвращения?

— Понятия не имею.

— Назовите хотя какую-то.

— Через неделю, десять дней, две недели...

— Так неделя, десять дней, две недели?

— Две недели! Поскорее, пожалуйста!

Сотрудница забарабанила по клавиатуре.

— А ваш чемодан? Вы опоздали его сдать...

Миа встала на колени, расстегнула чемодан, вытащила туалетный набор и несколько вещиц и запихнула все это в сумку.

— Остальное я дарю вам!

— Нет, я не могу, — возразила сотрудница, привстав и глядя через стойку.

— Ничего, сможете.

— В каком отеле вы остановитесь?

291

— Не знаю.

Сотрудница, уставшая удивляться, протянула Миа посадочный талон.

— Только бегом! Я предупрежу, чтобы не закрывали выход.

Миа схватила билет, скинула туфли и, зажав их под мышкой, помчалась к пункту контроля.

Пронеслась по коридорам, увидела вдалеке нужный выход, крикнула, чтобы ее подождали, и перевела дух только в «рукаве».

Прежде чем войти в самолет, она попыталась привести себя хотя бы в относительный порядок, после чего подала посадочный талон стюарду, расплывшемуся в улыбке.

— Вот и недостающая пассажирка! Место 2А. — Он указал ей на кресло.

Миа прошла мимо своего места и зашагала дальше по проходу между креслами, не обращая внимания на окрики стюарда.

Наконец, остановившись, она подала свой посадочный пассажиру и сказала, что его пересаживают в первый класс. Мужчина оказался понятливым: он радостно устремился в указанном ему направлении.

Миа открыла багажную полку, втиснула свою сумку между двумя чемоданчиками и со вздохом облегчения плюхнулась в кресло.

Пол, листавший журнал, не соизволил поднять голову.

Стюард сообщил в микрофон о скором вылете и попросил пассажиров пристегнуться и выключить электронные приборы.

Пол убрал журнал в карман на спинке кресла перед собой и закрыл глаза.

— Может, поговорим или все одиннадцать часов будем дуться друг на друга? — не выдержала Миа.

— Пока что затаимся и будем молчать. Суппозиторий весом триста тонн собирается оторваться от земной тверди, что с любой точки зрения противно природе. Так что пока мы не наберем высоту, будем дышать, стараться успокоиться и больше ничего.

— Хорошо, — ответила Миа.

— Во сколько вам обошелся билет первого класса?

— Я думала, мы молчим.

— У вас, случайно, нет успокоительного?

— Нет.

— Может, валиум?

— Тоже нет.

— А бейсбольная бита? Огрели бы меня по башке и растолкали, когда сяду.

— Да успокойтесь вы, все будет хорошо.

— Вы летчица?

— Дайте мне руку.

— Не дам, она потная.

Миа накрыла ладонью руку Пола.

— Что вы приготовили на ужин?

— Могли бы прийти и узнать.

— Даже не спросите, почему я не пришла?

— Нет. Это нормальный шум?

— Двигателям положено шуметь.

— Для них нормально издавать такой громкий шум?

— Если вы хотите, чтобы мы взлетели, то да.

— Так они достаточно шумят?

— Ровно так, как нужно.

— А что это за «бум-бум»?

— Это ваше сердце.

Самолет взмыл в воздух. Вскоре после взлета фюзеляж задрожал от турбулентности. Пол стиснул зубы, на лбу появилась испарина.

— У вас нет ни малейших причин бояться, — заверила его Миа.

— Бояться можно без всяких причин, — ответил Пол.

Он раскаивался, что не попробовал небольшой подарок Кристонели, провожавшего его в аэропорт, — нюхательный табак его собственного изготовления, который, по уверениям издателя, на несколько часов избавил бы его от любых волнений. Ипохондрия Пола доходила до того, что он боялся принимать от головной боли аспирин, чтобы не вызвать кровотечения, поэтому он решил не усугублять свою тревогу — и теперь горько об этом сожалел.

Лайнер достиг крейсерской высоты, и члены экипажа засновали по проходам.

— Они отстегнулись — это хороший знак! Раз они встали, значит, все в порядке?

— Все в порядке с начала взлета. До самой посадки все будет хорошо, но если вы все одиннадцать часов проведете вот так, вцепившись в подлокотники, то боюсь, после посадки вас придется отдирать от кресла клещами.

Пол уставился на свои белые от напряжения пальцы и стал их разминать.

Стюардесса предложила им напитки. Миа удивило, что Пол ограничился стаканом воды.

— Я слышал, что на высоте спиртное противопоказано.

Миа не послушалась и попросила двойной джин.

— Наверное, на англичан это не распространяется, — проворчал Пол, увидев, как она опрокидывает стакан.

Миа закрыла глаза и сделала глубокий вдох. Пол молча наблюдал за ней.

— Я думала, что мы договорились этого не обсуждать, — откликнулась она с закрытыми глазами.

Пол снова уткнулся в журнал.

— Две последние ночи я много работал. Каких только приключений не пережила моя певица! Представьте, всплыл ее бывший. Ей, конечно, пришлось снова нырнуть на глубину. Теперь надо выяснить, важно это или нет. — Пол с безмятежным видом перевернул журнальную страницу. — Собственно, я не желаю этого знать, меня это не касается, просто было желание задать вопрос. Дело сделано, перейдем к другой теме.

— Что навело вас на такую мысль?

— Я работаю головой. — Пол закрыл журнал. — Меня печалит, что она несчастна. Не знаю, в чем дело, но это так.

Стюард прервал их разговор, предложив обед. Пол отказался есть и заявил, что Миа тоже не голодна. Она хотела возразить, но стюард уже двинулся дальше по проходу.

— Ну и влипла я с вами! — воскликнула она. — Я как раз голодна, и еще как!

— Я тоже, прямо умираю от голода! Но эти самолетные контейнеры призваны не накормить нас, а развлечь: игра состоит в том, чтобы угадать, что внутри.

Пол расстегнул ремень и достал с полки сумку. Снова усевшись, он вынул из сумки одну за другой десять герметично закрытых контейнеров и расставил их на столике Миа.

— Что это? — спросила она.

— Теперь вам интересно, что я приготовил?

Миа сняла с контейнеров крышки и обнаружила четыре маленьких сэндвича из тостового хлеба с копченым лососем, два куска овощной запеканки, два кубика фуа-гра, две порции картофельного салата с черными трюфелями и в двух последних — два кофейных эклера. Она удивленно уставилась на Пола.

— Как видите, собирая чемодан, я подумал, что раз мне суждено умереть в воздухе, то надо по крайней мере красиво это обставить.

— Вы всегда едите за двоих?

— Как можно пировать, когда твой несчастный сосед косится на тебя и готов покончить с собой? Это испортило бы мне все удовольствие.

— Вы умудряетесь все учесть!

— Только главное, но и это отнимает много времени.

— Переводчица будет встречать вас в аэропорту?

— Надеюсь, — ответил Пол, — а что?

— Ничего, вернее... Давайте сделаем вид, что я ваша сопровождающая, приставленная издательством.

— Зачем, просто скажем, что мы друзья.

— Как хотите.

— А раз мы друзья, то извольте объяснить, как вы очутились в этом самолете вместо того, чтобы работать в ресторане.

— До чего же хороша эта фуа-гра, где вы ее купили?

— Попрошу не отвлекаться и отвечать на мои вопросы.

— Мне надо было уехать.

— От кого?

— От себя.

— Значит, он вернулся?

— Скажем так: она нырнула, но ей очень быстро стало не хватать воздуху, — ответила Миа.

— Я рад, что вы здесь.

— Правда?

— Нет, это я так, из вежливости.

— Я тоже рада, что я здесь. Давно хотела посмотреть Сеул.

— Неужели?

— Нет, это я так, из вежливости.

После еды Пол сложил коробочки в сумку и встал.

— Вы куда?

— Мыть посуду.

— Шутите?

— Ничего подобного, не хочу оставлять ее им, она понадобится мне на обратном пути.

— Разве вы не собираетесь осесть в Корее?

— Там видно будет.

После изучения развлекательной программы Миа остановила выбор на романтической комедии, а Пол на триллере. Спустя десять минут Пол уже внимательно наблюдал за происходящим на экране у Миа, а Миа — на экране у Пола. Они переглянулись, поменялись наушниками, а потом креслами.

В конце концов Пол уснул, и Миа стерегла его сон, чтобы он не проснулся при снижении. Он открыл глаза уже тогда, когда шасси самолета коснулось полосы, и напрягся при торможении. Миа заверила его, что кошмар близок к завершению и что скоро они покинут авиалайнер.

После паспортного контроля Пол забрал свой чемодан с багажной ленты и водрузил его на тележку.

— Ваш еще не приехал? — спросил он Миа.

— Я путешествую налегке. — Она показала на сумку, висевшую у нее на плече.

Пол воздержался от комментария. Он уперся взглядом в раздвижные двери, соображая, как вести себя, когда он из них выйдет.

Стайка из трех десятков читателей развернула плакат: «Добро пожаловать, Пол Бартон!»

Миа надела темные очки.

— Полагаю, они здесь по собственной воле, а не за деньги. Отдаю им должное, принимать они умеют! — прошептал Пол Миа, вглядываясь в лица в поисках Кионг.

Потом он оглянулся через плечо и вздрогнул: Миа след простыл. Она растворилась в толпе встречающих.

Группа людей, вооруженных блокнотами и ручками, ринулась к нему, умоляя дать автограф. Пол некоторое время смущался, но потом включился в игру, пока его корейский издатель не разогнал толпу и не пожал ему руку.

— Добро пожаловать в Сеул, мистер Бартон, ваш приезд для нас большая честь!

— Это честь прежде всего для меня, — отозвался Пол, не сводя глаз с толпы. — Не надо было...

— Не надо было чего? — заволновался издатель.

— Эти люди...

— Мы попытались их отговорить, но вы у нас чрезвычайно популярны, они вас ждали. Они провели здесь целых три часа!

— Зачем?

— Настолько им хотелось вас увидеть! Идемте, машина доставит вас в отель, вы, должно быть, устали после долгого перелета.

Миа присоединилась к ним перед терминалом.

— Мадам с вами? — осведомился издатель.

Миа представилась:

— Мисс Гринберг, ассистентка мистера Бартона.

— Очень рад, мисс Гринберг. Мистер Кристонели не предупредил нас о вашем приезде.

— Это потому, что моей поездкой занималось непосредственно бюро мистера Бартона.

Услышав ее слова, Пол остолбенел. Издатель устроил их на заднем сиденье просторного седана, а сам сел спереди. Пол в последний раз оглядел тротуар, потом машина тронулась и повезла их в центр города.

Пол с отсутствующим видом провожал глазами пробегавшие мимо пригородные пейзажи.

— Сегодня вечером у нас будет небольшой ужин, — заговорил издатель. — Участвуют сотрудники издательства, наш директор по маркетингу, мисс Бак, ваша пресс-атташе, директор книжного магазина, где у вас состоится автограф-сессия. Не беспокойтесь, это не займет много времени. Вам понадобится отдых, ведь последующие дни будут очень насыщенными. Вот ваша программа. — Издатель протянул Миа конверт. — Мисс Гринберг поселится там же, где и мистер Бартон?

— Разумеется, — ответила Миа, глядя на Пола.

Но тот не следил за разговором. Отсутствие в аэропорту Кионг он объяснял тем, что туда явился сам патрон.

Миа похлопала его по колену, привлекая внимание.

— Пол, ваш издатель спрашивает, хорошо ли прошел полет.

— Видимо, да. Я никуда не делся, значит, все обошлось благополучно.

— Мы возлагаем большие надежды на завтрашнюю телепередачу с вашим участием. В понедельник ожидается еще одно значительное событие: посол устраивает прием в вашу честь. Приглашены журналисты и видные профессора Сеульского университета. Я уведомлю секретариат посольства о вашей сотруднице.

— Не стоит беспокойства, — сказала Миа, — мистер Бартон сможет там присутствовать без меня.

— Об этом не может быть речи, мы будем счастливы видеть вас на приеме, не правда ли, мистер Бартон?

Пол, все время смотревший в окно, не ответил. Как поведет себя за ужином Кионг? Не следует ли ему вести себя с ней сдержанно, чтобы не скомпрометировать перед начальством?

Миа незаметно пихнула его локтем.

— Что? — опомнился Пол.

Видя, что его гость слишком устал, издатель не проронил больше ни слова до самого отеля.

Машина въехала под козырек, к ним заторопилась молодая женщина.

— Мисс Бак поможет вам зарегистрироваться и проводит в ресторан, где я буду ждать вас сегодня вечером. У меня самого еще очень много дел перед открытием ярмарки. Набирайтесь сил! До скорой встречи!

Издатель снова сел в машину и укатил.

Мисс Бак попросила у Пола и Миа паспорта и понесла их в администрацию. Посыльный подхватил багаж Пола.

При виде Пола администратор покраснел.

— Это большая честь для нас, мистер Бартон. Я прочитал все ваши книги.

— Очень любезно с вашей стороны, — буркнул Пол.

— Мисс Гринберг, для вас не зарезервировано, — продолжил администратор смущенно. — Можно взглянуть на ваше подтверждение?

— У меня его нет, — призналась Миа.

Администратор продолжил поиск в компьютере, еще более смущенный напоминанием мисс Бак, что мистер Бартон проделал долгий путь и он отнимает у него время.

Пол собрался с духом и оперся о стойку.

— Полагаю, произошла ошибка, — заговорил он. — С кем не бывает! Дайте нам другой номер.

— Дело в том, мистер Бартон, что отель переполнен. Я попробую обратиться в другие отели и в дирекцию книжной ярмарки. Но, боюсь, свободных номеров не найдется нигде.

Миа безразлично разглядывала холл.

— Что ж, — беззаботно бросил Пол, — не страшно. Мы с мисс Гринберг так давно работаем вместе, что нас вполне устроит номер на двоих.

— Таких тоже не осталось, вас мы перевели в апартаменты, но там всего одна кровать, хотя огромная, королевских размеров.

Мисс Бак была близка к обмороку. Пол отозвал ее в сторонку:

— Вам доводилось летать на самолетах, мисс Бак?

— Еще нет, мистер Бартон, а что?

— А то, что мне доводилось, и после одиннадцати часов, проведенных на высоте десяти километров, когда за тонкой переборкой и маленьким иллюминатором клубятся облака, уже ничто внизу не может потревожить. Мы поселимся в этих апартаментах вдвоем, а вы не расскажете об этом своему патрону и вообще никому. Постарайтесь, чтобы этот молодой человек забыл о существовании мисс Гринберг. Пусть это останется нашей с вами маленькой тайной.

Мисс Бак сглотнула застрявший в горле комок, и ее лицо снова ожило.

— Два ключа, — скомандовал Пол, вернувшись к стойке администратора. — Идемте, мисс Гринберг. — Он с насмешливым видом обернулся к Миа.

В лифте никто не произнес ни слова, в длинном коридоре по пути к номеру — тоже. Оба молчали, пока лакей не поставил на пол чемодан Пола и не удалился.

— Мне очень жаль, — начала Миа, — мне как-то в голову не пришло...

Пол растянулся на диване, свесив ноги с подлокотника.

— Нет, здесь неудобно, — заключил он со вздохом, вставая. Потом, бросив себе под ноги подушку, он плюхнулся на пол.

— Так тоже не годится, — простонал он, растирая себе спину.

Он распахнул дверцы стенного шкафа, привстал на цыпочки, вытянул сверху два валика и выложил их на кровати, разделив ее на две половинки.

— Справа или слева? — спросил он.

— Неужели во всем Сеуле не найдется скромной гостиницы со свободным одноместным номером?

— Безусловно, найдется. Вам только и надо, что дать объявление по-корейски. Давайте условимся о простых правилах. Утром первой пользуетесь ванной вы, вечером — я. Смотрите по телевизору, что хотите, я доверяю вам пульт, только, чур, никакого спорта. Перед сном вы заткнете уши берушами, я не храплю, но мало ли что? Я должен позаботиться о сохранении достоинства. Если я вдруг стану разговаривать во сне, ничто из сказанного не может быть использовано против меня. Полагаю, на таких условиях мы сможем ужиться. У меня и так достаточно причин испытывать стресс, не будем добавлять к ним новые. Кстати, а что это вы вдруг выдали себя за мою помощницу? Признайтесь, я похож на человека, прибегающего к услугам помощницы?

— По-моему, человека, прибегающего к услугам помощницы, просто так не опознать.

— А у вас бывали ассистенты? Нет? Вот видите! У вас хотя бы зубная щетка есть? Своей зубной щеткой я делиться не стану. Зубной пастой — куда ни шло, но не щеткой... — ворчал Пол, расхаживая по комнате.

— Да не нервничайте вы так, увидите ее на ужине!

— В присутствии пятнадцати человек? Хорошенькое начало визита! К подруге мне приходится обращаться по фамилии, любимую женщину называть «мисс Кионг». Сногсбивательно, как сказал бы мой замечательный издатель.

— Спасибо, — сказала Миа, растягиваясь на кровати.

— За что?

— Назвали меня подругой... я тронута.

Она заложила руки за голову и уставилась в потолок. Пол внимательно наблюдал за ней.

— Вы выбрали левую половину кровати?

Миа перелезла через валики, несколько раз подпрыгнула на правой стороне кровати и вернулась не левую.

— Нет, все-таки моя сторона — левая.

— Необязательно было ворошить всю постель.

— Необязательно, но это доставило мне удовольствие. Сейчас день, бросим жребий, кто первый пойдет в ванную?

Пол пожал плечами, показывая, что не претендует на первенство. В ее отсутствие он разобрал чемодан и повесил в шкаф одежду, спрятав трусы и носки за стопкой рубашек.

Миа появилась через полчаса в халате, с замотанными полотенцем волосами.

— Вы считали кафельные плитки в душе? — съязвил Пол.

Войдя в ванную, он услышал голос Миа:

— Выезд из отеля в одиннадцать, открытие в полдень, автограф-сессия в тринадцать, обеденный перерыв с четырнадцати пятнадцати до четырнадцати тридцати, автограф-сессия с половины третьего до пяти, потом возвращение в отель, отъезд на телестудию в восемнадцать тридцать, в семь грим, выход на съемочную площадку в семь тридцать, завершение съемки в девять, дальше ужин... *А я еще жалуюсь на плотный график во время рекламной кампании нового фильма...*

— Что все это значит?

— Как добросовестная ассистентка я зачитала вашу программу на завтра.

Пол, закутанный в полотенца, выскочил из ванны, вызвав у Миа приступ хохота.

— Не вижу ничего смешного!

— Вы похожи на факира.

— Я правильно понял, что на обед отводится пятнадцать минут? За кого они меня принимают?

— За знаменитость. Вам оказали впечатляющий прием в аэропорту, не говоря о гостинице. Я вами горжусь!

— В аэропорту меня ждало больше народу, чем придет на читательскую конференцию в книжный магазин. Уверен, этим людям заплатили за встречу.

— Не скромничайте, и, умоляю, оденьтесь, набедренная повязка вас не красит.

Пол открыл дверцу гардероба и стал разглядывать себя в зеркало.

— Не согласен, мне идет такой наряд, вот бы в нем сфотографироваться! Ладно, я просто трушу.

Миа подошла к Полу, оглядела содержимое шкафа, достала серые брюки, черный пиджак и белую рубашку.

— Держите, так будет в самый раз.

— Вы уверены, что голубой цвет не пошел бы мне больше?

— Нет, учитывая цвет вашего лица, лучше, чтобы рубашка была еще бледнее. Вот отоспитесь ночь-другую, тогда посмотрим, может, пригодится и голубая.

Она открыла сумку и убедилась, что то немногое, что она привезла, безнадежно помято.

— Я останусь здесь и закажу еду в номер, — сказала она со вздохом, бросив на пол свои пожитки.

— Сколько времени в нашем распоряжении перед ужином, мисс Гринберг? — осведомился Пол церемонным тоном.

— Два часа, мистер Бартон. Не советую увлекаться этой игрой, вы рискуете получить мое заявление об увольнении.

— Одевайтесь. Я попросил бы вас уважительнее вести себя с боссом.

— Куда пойдем?

— Осматривать Сеул. Это единственное, что приходит мне в голову, чтобы не проспать этот чертов ужин.

Они спустились в холл. Увидев, что они выходят из лифта, мисс Бак вскочила и вытянулась по стойке «смирно».

Пол объяснил ей на ухо, в чем состоит его план. Она поклонилась и повела их на прогулку.

Миа удивила необходимость идти пешком по бульвару, не представлявшему никакого туристического интереса, ее удивление удвоилось, когда мисс Бак привела их в торговый центр. Пол послушно следовал за проводницей. Она зашла на эскалатор, он сделал то же самое.

— Можно узнать, зачем мы здесь? — не выдержала Миа.

— Нельзя! — отрезал Пол.

На третьем этаже мисс Бак указала на витрину, остановилась у входа в магазин и попросила Пола вызвать ее, если ему понадобятся ее услуги. Пол вошел внутрь, Миа поспешила за ним.

— Подарить Кионг платье — непростая задача. Она бы, конечно, предпочла, чтобы оно прилетело из Парижа.

— Действительно, я как-то не подумал...

— Попробуем исправить эту ошибку. Вы знаете ее рост и размер?

— Похоже, они те же, что у вас.

— Вот как? *Я представляла ее низенькой и полной...*

Миа огляделась и направилась к стеллажам.

— Смотрите, вот симпатичная юбка, эти брюки тоже ничего, вот чудесная блузка, эта не хуже, эти три джемпера один другого лучше, а вот это вечернее платье просто потрясающее!

— В прошлой жизни вы были костюмершей? — спросил Пол, пораженный скоростью и уверенностью ее выбора.

— Нет, просто у меня есть вкус.

Пол взял все те вещи, на которые она указала, и направился к примерочной кабинке.

— Если вас не затруднит... — Он отдернул занавеску.

— Чем только не приходится заниматься добросовестной ассистентке!.. — бросила она, забирая вещи.

Зайдя в кабинку, она задернула занавеску, чтобы спустя несколько секунд снова ее открыть в первом ансамбле и покрутиться с натянутой улыбкой, изображая манекенщицу.

— Отлично! — одобрил Пол. — Давайте дальше!

Миа неохотно подчинилась.

Придя в восторг от следующего ансамбля, Пол подал ей поверх занавески особенно приглянувшееся ему черное платье.

— Оно не слишком облегающее? — усомнилась Миа.

— Примерьте, посмотрим.

— Отличная вещь! — сказала Миа, представая перед ним.

— Знаю, у меня есть вкус.

Следующий примеренный Миа комплект Пол тоже одобрил. Пока она переодевалась, он отправился к кассе, расплатился и присоединился к мисс Бак, ждавшей их у входа. Миа, выйдя из кабинки, прищурилась, разглядывая их.

Кем он себя возомнил? Горстка поклонников, встречавшая его в аэропорту, вскружила ему голову. Хочешь поиграть в звезду? Ты не знаешь, с кем имеешь дело, выскочка!

Упрекнув себя за эти мысли, она подошла к Полу.

313

— Возвращаемся в отель?

— У вас язык не поворачивается сказать спасибо?

— Спасибо, — произнес Пол, ступая на эскалатор.

— Решили сразить вашу переводчицу парой платьев? — не удержалась Миа.

— Не только, еще двумя юбками, тремя свитерами, двумя парами брюк и двумя блузками.

— Хватило бы миниатюрной Эйфелевой башни. Во всяком случае, это доказало бы, что вы вспомнили о ней не в последний момент.

Они вернулись в номер, больше не сказав друг другу ни слова. Пол растянулся на правой половине кровати, заложив руки за голову.

— А ботинки?! — прикрикнула на него Миа.

— Они не прикасаются к перине.

— Все равно снимайте!

— Когда они за нами придут?

— Можете сами встать и заглянуть в путевой лист.

— Забавно, что вы употребили этот термин. Им пользуются, когда планируют рекламную кампанию.

— Вы удивлены, что у подавальщицы может быть богатый лексикон?

— Нервничать должен я, вам-то что?

— «Я, я, я», только это и слышу с самого прибытия! Нервничайте в одиночестве и на ужин идите один. Мне все равно нечего надеть.

— Вам предстоит трудный выбор, все эти пакеты предназначены для вас. Вы действительно подумали, что я решил покорить Кионг, завалив ее подарками? Какая вульгарность! За кого вы меня принимаете?

— *За Дэвида...* Очень любезно с вашей стороны, но об этом не может быть речи, нет никаких причин для...

— Есть, и вы сами их назвали: ваши вещи остались в Париже. Не будете же вы все время щеголять в одном и том же!

— Завтра бы пошла и купила.

— Вы уже разорились на авиабилет. Помочь вам — это меньшее, что я могу сделать для вас в знак благодарности. Вы держали мою потную руку в самолете, в машине вели вместо меня разговор с издателем, страдающим словесным поносом, в одиночестве я бы растерялся в этих апартаментах, в этом мрачном отеле, в этом городе на краю света. Так что, говорю совершенно искренне, мы сейчас повесим всю эту одежду в шкаф. Советую приберечь черное платье для вечера у посла.

— Я обязана с вами рассчитаться, вы потратили целое состояние!

— Не я, а Кристонели... Прежде чем согласиться сюда лететь, я выбил из него астрономический аванс.

Миа взяла один из пакетов и направилась в ванную:

— Доверяю вещи вам. Я должна приготовиться.

Когда спустя полчаса она вышла, Пол решил, что она стала еще красивее, чем во время примерки, хотя нанесла совсем немного косметики.

— Что теперь?

— *Потрясающе!* Недурно, вам идет.

— Юбка не коротковата? *Что значит «недурно»?*

— *Она неотразима!* Нет, по-моему, в самый раз.

— *Знаешь, сколько мужчин пустились бы во все тяжкие, лишь бы оказаться со мной в этом номере? А у тебя не находится для меня других слов, кроме «недурно»?* Как вам блузка? Не слишком глубокий вырез?

— *Еще на сантиметр ниже – и в ресторане разразился бы скандал!* Нет, то что надо. Уверяю вас, этот наряд вам очень идет.

— *Подожди, увидишь выражение лица своей переводчицы, когда я предстану перед ней,* – забудешь про свое «недурно». Ну, раз вы так считаете... Я вам доверяю.

Что с тобой творится, старина?

— Вы что-то сказали?

— Нет, ничего.

Пол показал ей большой палец и пошел одеваться.

———

Войдя в ресторан, Пол почувствовал, как у него колотится сердце. Перед выходом из отеля Миа дала ему несколько советов насчет того, как лучше себя вести в сложившихся обстоятельствах: не делать ничего такого, что могло бы скомпрометировать Кионг перед ее боссами, позволить ей действовать по собственному разумению и дождаться подходящего момента, чтобы показать свое отношение к ней. Если их посадят рядом, то, не имея возможности взять ее за руку, он сможет дотронуться коленом до ее колена.

На случай, если он не сможет приблизиться к Кионг, не вызвав подозрений, Пол передал Миа записку для нее, которую следовало вручить в конце ужина.

Когда все участники расселись вокруг стола, Пол и Миа переглянулись: Кионг среди приглашенных не оказалось.

Тосты в честь Пола сыпались как из рога изобилия. Директор по маркетингу корейского издательства рассказал о своем плане издать собрание сочинений Пола в серии, предназначенной для учащихся. Он спрашивал, согласится ли Пол написать предисловие с объяснением, почему он посвятил свое творчество столь сложной теме. Пол решил было, что над ним насмехаются, однако, учитывая несовершенство английского языка у оратора, воздержался от ответа. Главный по рекламе предъявил обложку его последнего романа, гордо указав на красную «шапку»: «500 000 экземпляров». Издатель напомнил, что для иностранного автора это небывалый тираж. Директор книжного магазина напомнил, что не проходит дня, чтобы у него несколько раз не спросили о наличии в продаже произведений этого автора. Мисс Бак, дождавшись своей очереди, зачитала список интервью, которые предстоит дать Полу. Телевизионный журнал застолбил для себя эксклюзив до момента трансляции, но сразу после этого Пол сможет поговорить с журналистами ежедневной газеты «Чосон ильбо», потом — корейского «Эль», далее целый час будет выступать по радио KBS, после чего его ждет беседа с журналистом «Муви Уик» и острый диалог с журналистом газеты «Ханкиоре», известной своей независимой позицией и остающейся единственным органом прессы, выступающим за сближение с Северной Кореей. Когда Пол спросил, зачем этой газете потребовалось брать у него интервью, все собравшиеся дружно рассмеялись. Полу было не до смеха, и его растерянность была слишком заметна на фоне всеобщего веселья. Миа, придя ему на выручку, задала целую кучу вопросов про Сеул: какая здесь погода в разное время года, какие достопримечательности следует посетить; потом она завела разговор о корейском кинематографе с издателем Пола, впечатленным ее эрудицией. Воспользовавшись ситуацией, она подсказала издателю на ухо, что пора завершать вечер, так как мистер Бартон скоро упадет со стула от усталости.

319

Вернувшись в отель, Пол без лишнего промедления завалился спать. Он восстановил преграду из валиков и еще до выхода Миа из ванной погасил свет.

Миа залезла под одеяло и немного подождала.

— Вы спите?

— Нет, я ждал, пока вы зададите этот вопрос, чтобы уснуть.

— Уверена, завтра она вам позвонит.

— Откуда такая уверенность? Она даже не удосужилась оставить мне записку в отеле.

— Она предупреждала, что будет занята. Бывает, накапливается столько работы, что человек дышать и то не успевает.

Пол выглянул из-за валика.

— Разве я требую слишком многого? Всего лишь маленькую записку! Или ее назначили министром культуры? И потом, почему вы так рьяно ее оправдываете?

— Потому что мне грустно наблюдать, как вы расстроенны. Не знаю почему, ничего не могу с собой поделать, — сказала Миа, тоже высовываясь из-за валика.

— У вас появилась мания воровать у меня реплики.

— Лучше замолчите...

В тишине их лица сблизились. То, что последовало, было исполнено бесконечной нежности.

————

— Вы поцеловали меня не из жалости? — осведомился Пол.

— Вам уже случалось получать пощечину сразу после поцелуя?

— Еще нет.

Миа поцеловала его в губы и пожелала ему спокойной ночи, после чего поправила валик и потушила лампу у своего изголовья.

— Это считается или нет? — раздался в темноте голос Пола.

— Спите! — прикрикнула на него Миа.

16

Миа с наслаждением исполняла роль усердной ассистентки, с подчеркнутой почтительностью называя Пола «мистером Бартоном» при любом обращении. Пол всякий раз отвечал испепеляющим взглядом.

На открытии книжной ярмарки, когда сверкали вспышки, она держалась в тени.

Потом началась автограф-сессия, ставшая важным этапом в жизни Пола.

Триста человек выстроились в очередь, вытянувшуюся далеко за двери магазина. Наблюдая за поклонниками Пола, Миа вспомнила о собственной карьере и о Крестоне, которому давно должна была позвонить. Он наверняка беспокоился за нее, и теперь она ломала голову, какую ложь изобрести, чтобы не выдать своего местонахождения.

Пол, сидя за столом, механически здоровался и улыбался, сталкиваясь с огромными трудностями при попытках написать и даже понять имена представлявшихся ему читателей. Директор магазина шептал ему на ухо извинения за то, что переводчица приболела и не смогла прийти.

— Кионг больна? — так же шепотом спросил его Пол.

— Нет, больна ваша переводчица.

— Я о ней и спрашиваю.

— Вашу переводчицу зовут Юн Хонг.

Их разговор прервался из-за начавшейся в толпе толкотни. Охранник выдворил из магазина нескольких разошедшихся читателей и приказал оставшимся, коих было немало, соблюдать очередность при подходе к помосту.

По просьбе Миа обеденный перерыв был продлен: мистеру Бартону необходимо передохнуть. Пола проводили в кафетерий магазина, предоставленный в его полное единоличное распоряжение. Там он безуспешно высматривал директора магазина.

— Почему у вас такой озабоченный вид? — осведомилась Миа.

— Я не привык к таким столпотворениям, мне страшно, я совершенно обессилен.

— Ничего удивительного! Вы не притронулись к своей тарелке. Ешьте, вам нужны силы для второго тура. То, что с вами происходит, чудесно, ваши читатели счастливы вас увидеть. Разве вас это не волнует? Знаю, это утомительно, но заставьте себя больше улыбаться! Нет награды лучше, чем любовь ваших почитателей! Благодаря ей наш труд, само наше существование обретают смысл. Главное — то, что мы отдаем другим. Разделить эту радость с людьми — величайшее счастье.

— Вам часто приходилось раздавать автографы?

— Я немного о другом...

— Со мной, по крайней мере, такое происходит впервые.

— Придется привыкать.

— Не думаю, я для этого не создан. Не для того я покинул Калифорнию, чтобы столкнуться за границей с таким... Не говорю, что это неприятно, я, конечно, тронут, но в звезды не гожусь, я из другого теста.

— Ничего, привыкнете и будете воспринимать это как нечто естественное, уж поверьте мне.

— А я уверен в обратном, — сердито ответил Пол.

— По-прежнему никаких вестей? — спросила Миа безразличным тоном.

— Никаких!

— Ничего, скоро она даст о себе знать.

Пол резко поднял голову:

— Насчет вчерашнего вечера...

— Вам пора к читателям, они вас заждались, — перебила его Миа и вскочила со стула.

Охрана проводила Пола до его рабочего места за столом. Миа осталась в кафетерии. Как только он открылся для посетителей, юный поклонник Пола завладел стаканом, из которого пил писатель. Миа сидела, погрузившись в раздумья.

Ты так обезоружен своим успехом, так искренно клянешься, что тебе не нужна известность... Надо же было нам встретиться! Вдруг мы несовместимы?

———

Постепенно магазин опустел. Последний читатель сделал селфи (сколько их уже понаделали за этот день!) с Полом, одарившим его последней вымученной улыбкой. Он так обессилел, что с трудом поднялся с кресла.

— Такова расплата за славу! — сказал директор магазина и рассыпался в благодарностях.

Миа ждала его у выхода вместе с мисс Бак.

— Кто такая мисс Йонк, о которой вы мне недавно говорили? — спросил Пол.

— Юн Хонг, — поправил его директор. — Я вам объяснял, она переводит ваши книги, часть вашего успеха — ее заслуга. Я никогда ее не встречал, но надо отдать ей должное, у нее отличное перо.

— Кионг! Мою переводчицу зовут Кионг! — возмутился Пол. — Я знаю, что говорю!

— Вам неправильно написали ее имя по-английски. В нашем языке масса тонкостей, но я могу вас заверить, что ее имя — Юн Хонг, именно так написано на каждом экземпляре каждой вашей книги — по-корейски, разумеется. Очень жаль, что она не смогла быть здесь сегодня, она бы гордилась тем, что имеет отношение к вашему грандиозному успеху.

— Что с ней?

— Кажется, сильный грипп. Пора идти. Ваш день еще далеко не закончен. Ваш издатель станет упрекать меня, что я вас задержал.

Обратно в отель их доставил лимузин. Впереди сидела мисс Бак. Пол совершенно замкнулся, и Миа встревожилась.

— Объясните мне, в чем дело, — шепотом попросила она его.

Пол нажал на кнопку. Поднялось стекло, отделившее их от сидевших впереди корейцев.

— Смотрите-ка, как удобно! К хорошему быстро привыкаешь.

— Пол!

— Она больна, грипп, кажется.

— Само по себе это даже хорошая новость. Для нее, конечно, нет, зато служит объяснением ее отсутствия и молчания. Подумайте, сколь времени можно пролежать с гриппом? Неделю, не больше. Когда она захворала?

— Откуда мне знать?

— Могли бы поинтересоваться. Вы же так за нее волнуетесь!

— Я услышал об этом от директора книжного магазина. Сегодня она должна была присутствовать.

— Что еще вы от него услышали?

— Совершенно ничего.

— Тогда будем оптимистами. Остается надеяться, что через несколько дней она встанет на ноги... *Наверное, ноги у нее большие, нет, огромные...*

— Что вы там бормочете?

— Я никогда ничего не бормочу, бормотание — это не для меня.

Миа отвернулась к окну и стала разглядывать пейзаж.

— Забудьте про вашу Кионг по крайней мере до вечера... *Вообще забудьте, и все!* Вам предстоит участие в важной передаче, необходимо сосредоточиться.

— Я не могу туда идти, мне все осточертело, хочу вернуться в отель, заказать еду в номер и завалиться спать.

— *А я-то!..* Не будьте ребенком, речь идет о вашей карьере, держитесь как профессионал, возьмите себя в руки!

— Вы собирались изображать ассистентку, а не тирана.

— Изображать?.. — притворно оскорбилась Миа.

— Простите, это все мой испуг, я несу невесть что, лучше мне помалкивать.

— Знаете, что однажды сказала Сара Бернар молодой актрисе, хваставшейся, что ей неведом страх сцены? «Не переживайте, милая, это приходит с талантом».

— Я должен счесть это комплиментом?

— Чем хотите, тем и считайте. Сейчас мы приедем в отель, примете ванну, она пойдет вам на пользу. Потом вы принарядитесь и будете думать только о ваших персонажах, о друзьях, о том, что поднимает настроение. Игнорировать страх нельзя, но его можно преодолеть. Как только вы выйдете на сцену, он исчезнет.

— Откуда вы все это знаете? — спросил Пол жалобно, как обреченный больной.

— Знаю, и все. Вам остается только мне доверять.

Пол долго нежился в пенной воде, потом надел костюм и белую рубашку — выбор Миа. Она объяснила ему, что камеры терпеть не могут голубой цвет, и для большей убедительности добавила, что мужчины в голубом утрачивают на телеэкране всю свою представительность. Это всем известно! Она заказала на шесть вечера легкие закуски, и Пол через силу поел. Потом она заставила его выучить короткое обращение с благодарностью корейским читателям за оказанный ему великолепный прием, с похвалами несравненному городу Сеулу — пускай он еще не мог им насладиться, все равно он счастлив сюда попасть. Пол повторил урок, уставившись на часы под телеэкраном, отсчитывавшие минуты. Чем меньше оставалось минут, тем сильнее становилось его волнение. В конце концов у него разболелся живот.

Следуя плану, они ровно в 18.30 сели в лимузин.

На полпути Пол внезапно постучал в разделительный стеклянный щит и попросил водителя остановиться. Выскочив из машины, он согнулся пополам. Его вырвало всем недавно съеденным. Миа держала его за плечи. Когда рвотные спазмы прекратились, она дала ему платок и жевательную резинку.

— Сногсбивательно... — простонал Пол, выпрямляясь. — Потные руки в самолете, рвота на улице — образцовый супергерой! Вам повезло, вы поменяли рутину на захватывающее приключение.

— Сейчас важно одно — чтобы вы не испачкали костюм. Вам лучше?

— Никогда так хорошо себя не чувствовал!

— Вы не утратили чувства юмора, это еще важнее. Поехали?

— Конечно, не хватало опоздать на бойню!

— Смотрите мне в глаза. Я сказала, в глаза! Ваша мать смотрит корейское телевидение?

— Она умерла.

— Соболезную. А сестра?

— Я единственный сын.

— У вас в Корее есть друзья?

— Насколько я знаю, нет.

— Отлично. Ваша Кионг прикована к постели, у нее грипп, а при гриппе даже света ночника бывает достаточно, чтобы случился приступ головной боли. Нет ни малейшей опасности, что сегодня вечером она включит телевизор. Ни она, ни еще кто-то из тех, кого вы любите или знаете. Так что можете спокойно сидеть перед камерой. Какая разница, каким вы будете — блестящим или скучным. Кроме того, вас будут переводить.

— Зачем тогда вообще туда ехать?

— Ради шоу, ради ваших читателей, чтобы вы когда-нибудь рассказали об этом в своих книгах. Советую представить на съемочной площадке, что вы — один из ваших персонажей. Это поможет.

Пол долго смотрел на Миа.

— А вы будете на меня смотреть?

— Не буду.

— Врунья!

— Выплюньте жвачку, мы приехали.

Пока Пола гримировали, Миа была рядом и дважды вмешалась, чтобы гримерша не закрашивала ему морщинки вокруг глаз.

331

Потом за ним пришел режиссер, и она проводила его до кулис, чтобы перед выходом на площадку дать последний совет:

— Помните, важнее не то, что вы скажете, а то, как вы это скажете. На телевидении музыкальность речи заглушает сами слова, уж поверьте любительнице ток-шоу.

Включились прожекторы рампы, режиссер подтолкнул Пола, и тот вышел на сцену, морщась от ослепительного света.

Ведущий усадил его в кресло напротив себя, ассистент вставил ему в ухо наушник. От этой манипуляции Полу стало щекотно, он хихикал и дергался, так что звукооператору пришлось трижды перенастраивать звук.

— Победа! — прошептала за кулисами Миа, увидев, как у Пола розовеет физиономия.

Пол услышал в наушнике голос переводчика: тот предупредил, что перевод будет синхронным, и попросил говорить короткими фразами, выдерживая паузы. Пол согласно кивнул, ведущий на съемочной площадке принял это за приветствие и счел своим долгом тоже поприветствовать приглашенного.

— Скоро начнем, — предупредил переводчик из аппаратной. — Вы меня не видите, а я вас вижу на контрольном экране.

— Хорошо, — сказал Пол, стараясь унять сердцебиение.

— Мне не отвечайте, мистер Бартон, ваш единственный собеседник — мистер Те Хун, следите за его губами, а слушайте только мой голос. Вашего голоса телезрители не услышат.

— Кто такой мистер Те Хун?

— Ведущий.

— Ладно.

— Вы впервые на телевидении?

Новый кивок, немедленно повторенный Те Хуном.

— Все, мы в эфире!

Пол сосредоточился на физиономии Те Хуна.

— Добрый вечер, мы счастливы приветствовать в нашей программе американского писателя Пола Бартона. К нашему огромному сожалению, мистер Мураками заразился гриппом и не будет сегодня с нами. Пожелаем ему скорейшего выздоровления.

— Это нормально, сейчас все важные для меня люди заболевают гриппом, — подхватил Пол. — Это, пожалуйста, не переводите.

Миа вынула из уха предоставленный ассистентом режиссера наушник и покинула кулисы. Найдя режиссера, она попросила проводить ее в гримерную мистера Бартона.

— Мистер Бартон, — продолжил, немного помявшись, ведущий, — ваши книги пользуются у нас большим успехом. Можете объяснить, что вас подвигло выступить в защиту народа Северной Кореи?

— Прошу прощения?

— Вы не поняли мой перевод? — раздался голос у Пола в ухе.

— Перевод понял, не понял самого вопроса.

Ведущий кашлянул и продолжил:

— Ваше последнее произведение потрясает, в нем вы описываете жизнь семьи под игом диктатуры, ее старания выжить невзирая на репрессии режима Ким Чен Ына, и все это с реалистичностью, удивительной для иностранного писателя. Где вы берете материал?

— Кажется, у нас проблема... — пролепетал Пол, обращаясь к переводчику.

— Какая проблема?

— Мне не удалось прочесть последнюю вещь Мураками, но, по-моему, ваш мистер Те Хун нас перепутал. Это тоже не переводите.

— Не собираюсь. И совершенно не понимаю, о чем вы...

— Я никогда ничего не писал про северокорейскую диктатуру, черт возьми! — яростно прошептал Пол, стараясь сохранить благостную улыбку.

Ведущий, не слышавший в своем наушнике ни звука, вытер лоб и сказал, что интервью мешают технические неполадки, которые сейчас будут устранены.

— Шутки несвоевременны и неуместны, мистер Бартон, — снова заговорил переводчик, — мы в прямом эфире. Умоляю, отвечайте на вопросы серьезно, а то я лишусь работы. Если вы продолжите в том же духе, меня выгонят. Сейчас я переключусь на мистера Те Хуна и кое-что ему скажу.

— Поприветствуйте его от моего имени и предупредите о допущенной ошибке, больше ничего не поделаешь.

— Я принадлежу к вашим преданным читателям, и для меня ваше поведение необъяснимо.

— Я все понял, это снимается на скрытую камеру!

— Камера перед вами... Вы выпили?

Пол уставился в объектив, над которым мигал красный диод. Те Хун, похоже, уже потерял терпение.

— Я благодарен моим корейским читателям, — заговорил Пол, — и хочу сказать, что покорен оказанным мне приемом. Сеул — ве-

335

ликолепный город, хотя я еще не успел его осмотреть. Я счастлив находиться здесь.

Пол услышал облегченный выдох переводчика, без промедления переведшего его слова.

— Чудесно, — сказал Те Хун, — мы как будто решили проблему со звуком. Я повторю два своих последних вопроса писателю, и теперь мы услышим его ответы.

Пока ведущий говорил, Пол прошептал переводчику:

— Я все равно не понимаю, о чем он толкует, но вы — мой преданный читатель. Я продиктую вам свой рецепт говяжьего рагу, а вы вместо меня ответите на вопросы мистера Те Хуна.

— Я так не могу... — прошелестел в наушнике испуганный голос переводчика.

— Вы дорожите своей работой? На телевидении музыка речи значит больше слов, так что не волнуйтесь, я постараюсь улыбаться.

Передача продолжилась в этом режиме. Переводчик переводил Полу вопросы ведущего — того интересовали книги, которых Пол не писал и сюжеты которых вертелись вокруг положения граждан Северной Кореи. Пол, не забывая улыбаться, нес все, что приходило ему в голову, заботясь только о краткости фраз и о паузах между ними. Переводчик, бросивший вникать в этот несвязный лепет, превратился на один вечер в писателя и блестяще отвечал вместо него самого.

Этот кошмар продолжался ровно час. Как минимум двое его участников пребывали в полной растерянности, но не подавали виду.

Покинув съемочную площадку, Пол стал искать Миа. Режиссер отвел его в гримерную.

— Вы были бесподобны, — похвалила его Миа.

— Не сомневаюсь. Спасибо, что сдержали обещание.

— Которое?

— Не смотреть передачу.

— Ваша первая шутка про грипп была отменной. Жаль, что не было Мураками, знаю, вы бы с радостью с ним познакомились.

— Я говорил не то, что думаю.

— Возвращаемся? Этот день получился утомительным, и не только для вас. — Миа шагнула к двери. — С завтрашнего дня я беру расчет.

Пол догнал ее и схватил за руку.

— Все сказанное не имеет ко мне ни малейшего отношения.

— Тем не менее вы это сказали.

— Мало ли кто что сказал! Этот вечер я запомню надолго.

— Главное, что вы были на высоте.

— Если я остался в живых, то только благодаря вам. Спасибо вам от всего сердца, и это уже не пустые слова.

— Не за что.

Миа высвободила руку и решительным шагом вышла в коридор.

338

Вернувшись в отель, Миа легла и сразу уснула. Пол, вертясь по другую сторону барьера из валиков, не мог сомкнуть глаз: он лихорадочно искал объяснение двум аномалиям истекшего дня. Так ничего и не надумав, он с тревогой стал думать о том, что преподнесет следующий день.

17

Миа разбудил скрип двери. Открыв глаза, она увидела Пола, катившего по полу столик на колесах. Приблизившись к ней и пожелав доброго утра, он сказал:

— Кофе, свежевыжатый апельсиновый сок, разнообразная выпечка, свежие яйца, хлопья. Приятного аппетита, мадам. — Он наполнил ее чашку.

Миа села и подложила под спину подушки.

— Чем я заслужила такое внимание поутру?

— Вчера я уволил свою помощницу и теперь должен всем заниматься сам, — объяснил Пол.

— Странно, а я слышала, будто она уволилась сама.

— Раз так, значит, наши намерения совпали. Для меня гораздо предпочтительнее потерять сотрудницу и приобрести друга. Сахару?

— Один кусочек, пожалуйста.

— Раз я теперь предоставлен самому себе, то кое-что предпринял, пока вы спали. Сегодняшние встречи аннулированы. Осталась одна обязанность — побывать на приеме у посла, а так мы совершенно свободны. Сеул в нашем распоряжении до вечера. Предлагаю этим воспользоваться.

— Вы отменили все встречи?

— Перенес на завтра. Я соврал, что мне нездоровится. Нельзя же уступать Мураками монополию на грипп, это вопрос престижа!

Миа покосилась на свернутую газету на столике и схватила ее:

— На первой странице ваша фотография!

— Действительно... Не слишком удачная, я получился плохо, фотограф добавил мне три лишних килограмма.

— А мне нравится. Вы позвонили своей пресс-атташе, чтобы она перевела вам эту статью? Фото на первой странице — это не просто так!

— Признаться, когда говорят по-корейски, мне трудно разобраться, довольны они или нет. Подозреваю, журналист, сочинивший эту статью, расхваливает в ней последний роман Мураками.

— Может, у вас одержимость Мураками, а не грипп? За несколько минут вы помянули его уже дважды.

— Ничего похожего, хотя после происшедшего вчера у меня есть на это полное право.

— Что стряслось вчера?

— Я пережил самый абсурдный момент за всю свою жизнь. Часто случается, что меня интервьюируют журналисты, не открывавшие моих книг, но все же не такой, который прочел чужую книгу! Подобного со мной еще не бывало!

— О чем это вы?

— О вчерашнем фиаско! Этот тупица упорно задавал мне вопросы, предназначенные для... Не стану больше произносить это имя, а то вы опять скажете, что у меня идея фикс. В общем, вы понимаете, о ком речь. Там, на съемочной площадке, перед ведущим, я ощутил небывалое одиночество. Что побудило вас озаботиться судьбой северокорейского народа? Из каких источников вы черпаете столько информации о жизни людей, угнетаемых режимом Ким Чен Ына? Откуда такая политическая ангажированность?

Считаете ли вы, что дни этой диктатуры сочтены? По-вашему, Ким Чен Ын — фальшивый вождь, выдвинутый олигархической системой, или действительно держит в своих руках бразды правления? Ваши персонажи вдохновлены действительностью или они плод воображения? И так далее.

— Вы серьезно? — спросила Миа, не зная, смеяться или сочувствовать.

— Я задал тот же вопрос переводчику, разговаривавшему со мной через проклятый наушник. Эти штуковины страшно действуют на нервы! Признаться, я даже заподозрил, что меня снимают скрытой камерой. Они же ничем не брезгуют, вот я и решил, что это логично, но я не позволю так просто заманить меня в ловушку. Через двадцать минут я подумал, что шутка затянулась и стала несмешной. Только это была не шутка! Тупицы, они спутали автора и книгу, а переводчик побоялся это им объяснить.

— Безумие какое-то! — согласилась Миа, прикрывая ладонью рот, чтобы не выдать свое желание расхохотаться.

— Не отказывайте себе в удовольствии, смейтесь надо мной сколько влезет, я сам давился от смеха, когда мы вчера вернулись. Такое может произойти только со мной!

— Как же они умудрились так оконфузиться?

— Если бы у глупости были пределы, они были бы давно достигнуты. Но мы не будем посвящать этому весь день! — Он вырвал у Миа газету и отшвырнул ее в угол комнаты. — Завтракайте, потом мы пойдем на прогулку.

— Вы уверены, что все в порядке?

— Уверен! Все хорошо. Я предстал идиотом перед сотнями тысяч телезрителей и думаю, что некоторые пожаловались на телеканал, об этом и должно быть написано в статейке. Кстати, если встречные будут показывать на меня пальцами и смеяться, мы должны сохранять достоинство и вести себя так, словно ничего не происходит.

— Я действительно очень огорчена, Пол.

— Напрасно. И вообще, хватит об этом. Вы сами советовали мне не придавать значения этой передаче. Лучше взгляните, какая роскошная погода!

Пол предложил выйти из отеля через паркинг на случай, если мисс Бак караулит их в холле. Ему хотелось провести день вдвоем с Миа и, уж конечно, без надзора гида.

Утром они побывали во дворце Кёнбоккун. Проходя в ворота Суннемун, Пол тренировался в произнесении местных названий и веселил Миа своим гортанным выговором. С моста Фонтан радуги она наслаждалась видом на реку и на исторический дворец.

— Это Чхангёнгун, королевская резиденция, построена в 1418 году, — стал объяснять Пол. — Все сооружения, которые вы видите, обращены на юг, в сторону захоронений древних правителей. А сам дворец обращен на восток, чтобы не соблюдать конфуцианскую традицию.

— Вы знаете все это от Кионг?

— Не будем ее трогать. Просто, покупая билеты, я прихватил брошюру и прочел ее, пока вы наслаждались видом, и теперь могу произвести на вас впечатление. Хотите взглянуть на ботанический сад?

———————

Покинув дворец, они отправились в квартал Итхэвон. Там они побродили по художественным галереям, полакомились корейскими блинами пачжон, а остаток дня слонялись по антикварным лавкам. Миа хотелось выбрать подарок для Дейзи, и она колебалась между старинной коробочкой для пряностей и прелестным ожерельем. Пол посоветовал ей выбрать ожерелье, а сам незаметно попросил хозяина лавки завернуть коробочку для пряностей.

— А это подарок Дейзи от меня. — И он сунул коробочку Миа.

Они вернулись как раз вовремя, чтобы успеть собраться. Мисс Бак все еще дежурила в холле отеля. Увидев ее, Миа толкнула Пола за колонну. Они крались от одной колонны к другой, пока не дождались посыльного с тележкой, чтобы, спрятавшись за ней, незаметно проскользнуть в лифт.

В семь вечера Миа надела платье. Пол был очень горд, что именно он его купил.

— Если я снова услышу от вас «недурно», то никуда не пойду, — предупредила его Миа, глядясь в зеркало.

— Тогда я молчу.

— Пол!..

— Вы...

— Нет, лучше помалкивайте, — перебила сго Миа.

— ...великолепны.

— Годится, комплимент принимается.

Через полчаса лимузин доставил их к резиденции посла Соединенных Штатов.

Посол встречал своих гостей в вестибюле.

— Мистер Бартон, для меня честь и удовольствие принимать вас в резиденции... — начал он.

— Это честь для меня, — ответил Пол, представляя ему Миа.

Посол склонился к ее руке.

— Чем вы занимаетесь, мисс? — осведомился он.

— У Миа ресторан в Париже, — ответил за нее Пол.

Посол проводил их в большую гостиную.

— Мне еще не довелось прочесть ваше последнее произведение, — признался он на ухо Полу. — Я немного владею корейским, но, увы, недостаточно, чтобы наслаждаться чтением. Зато моего друга вы заставили проливать горючие слезы. Уже целую неделю он только о вас и говорит, так вы его взволновали. Часть его семьи живет в Северной Корее, и он утверждает, что ваш рассказ до удивления близок к действительности. Как я завидую вашей писательской свободе! Вы можете, не сдерживаясь, выражать то, о чем мы по своей дипломатической обязанности вынуждены молчать. Но позвольте сказать, что в своем романе, документе эпохи, вы донесли до читателей мысль Америки!

Пол долго и задумчиво смотрел на посла.

— Мы могли бы обсудить это подробнее? — робко проговорил он.

— Повторяю, мой друг — кореец, поэтому... А вот и он! Он будет куда красноречивее меня. Оставляю вас в его обществе, он мечтал с вами познакомиться. А я тем временем буду встречать остальных наших гостей. Похищаю вашу очаровательную спутницу, она поможет мне в этой задаче. Я для нее совершенно не опасен, — со смешком закончил посол.

Миа бросила на Пола умоляющий взгляд, но напрасно: хозяин увлек ее за собой.

Едва Пол перевел дух, как маленький изящный человечек стиснул его в объятиях и уронил голову ему на плечо.

— Спасибо, спасибо, спасибо! — зачастил он. — Я так взволнован встречей с вами!

— Я тоже, — сказал Пол, пытаясь высвободиться из объятий. — Но за что вы меня благодарите?

— За все! За то, что вы — это вы, за ваши слова, за то, что вам небезразлична судьба моих близких. Кому в наши дни есть до них дело? Вы не представляете, какой вы важный для меня человек!

— Действительно не представляю. Я мечтаю, чтобы вы все наконец оставили меня в покое! — не выдержал Пол.

— Не понимаю...

— Вот и я ничего не понимаю! — огрызнулся Пол.

Мужчины смерили друг друга взглядами.

— Надеюсь, мистер Бартон, вас шокирует не тот факт, что мы с Генри — пара? Мы уже десять лет любим друг друга искренней любовью и даже усыновили ребенка, мальчугана, которого окружили нежной заботой.

— Я вас умоляю! Я вырос в Сан-Франциско, я демократ. Любите кого хотите. Если вам отвечают взаимностью, я только рад. Я про ваши отзывы на мою книгу.

— В моих словах вас что-то уязвило? Если да, то я прошу вас меня извинить, ваш роман слишком много для меня значит.

— Мой роман? Мой? Тот, который я написал?

— Именно ваш, — заверил его мужчина и продемонстрировал книгу, которую принес.

Корейскую письменность Пол расшифровать не мог, но свою физиономию на обложке, которую ему накануне с гордостью демонстрировал здешний издатель, он узнал сразу. Собеседник явно его не понимал, и это вызвало у Пола сильнейшие подозрения, от которых у него закружилась голова и почва начала уходить из-под ног.

— Вы не против подписать для меня свою книгу? — взмолился друг посла. — Меня зовут Шин.

Пол схватил его за локоть.

— Дорогой Шин, здесь есть помещение, где мы с вами могли бы немного пообщаться с глазу на глаз?

Шин провел его по коридору и пригласил в кабинет.

— Здесь нас никто не потревожит, — заверил он и пододвинул Полу кресло.

Пол сделал глубокий вдох, подыскивая слова:

— Вы одинаково бегло владеете и английским, и корейским?

— Конечно, я же кореец, — ответил Шин, опускаясь в кресло напротив Пола.

— Отлично. Значит, вы прочли мою книгу?

— Дважды, так она меня потрясла. Прежде чем уснуть, я теперь всегда перечитываю отрывок из нее.

— Тем лучше, Шин. Хочу попросить вас о небольшой услуге.

— Просите о чем угодно!

— Не волнуйтесь, просьба самая скромная.

— Чем я могу вам помочь, мистер Бартон?

— Расскажите мне, о чем моя книга.

— Простите?

— Вы отлично меня поняли. Если не знаете, как за это приняться, для начала кратко перескажите мне первые главы.

— Вы уверены? Зачем это?

— Писатель не в состоянии оценить адекватность перевода на незнакомый ему язык. Вы — двуязычный человек, для вас это не составит труда.

350

Шин выполнил просьбу Пола и пересказал ему его роман глава за главой.

В первой Пол познакомился с девочкой, выросшей в Северной Корее. Ее семья, как и вся остальная деревня, жила в неописуемой нищете. Диктатура, установленная жестокой династией, обрекала все население страны на рабство. Выходные дни посвящались культу властелинов. Школа, право учиться в которой имели лишь немногие дети, так как большинству приходилось трудиться в поле, представляла собой всего лишь инструмент пропаганды, приучавший невинные умы видеть в их мучителях высшие божества.

Во второй главе Пол повстречался с отцом рассказчицы, преподавателем литературы. По вечерам он тайно знакомил своих лучших учеников с английской литературой, приучал их к трудному и опасному делу — самостоятельному мышлению, прививал им благородные ценности свободы.

В третьей главе отца рассказчицы выдала властям мать одного из его питомцев. Его подвергли пыткам и казнили на глазах у родни. Его труп, привязанный к конскому хвосту, проволокли через всю деревню, как и трупы всех его учеников, разделивших его участь. Смерти избежал только сын выдавших учителя людей: его заключили в лагерь, приговорив к каторжным работам пожизненно.

В следующей главе героиня романа рассказывала, как ее брата, стащившего несколько кукурузных зерен, избили и заперли в клетку, где нельзя было ни лежать, ни стоять. Мучители прижигали ему тело сигаретами. Через год ее тетя, случайно сломавшая швейную машину, в наказание была лишена обоих больших пальцев рук.

В шестой главе героине исполнялось 17 лет. В свой день рождения она сбежала из родительского дома. Скитаясь по долинам, переходя вброд реки, прячась днем и передвигаясь ночью, питаясь кореньями и дикими травами, она сумела обмануть бдительность пограничников и перебраться в Южную Корею — край, суливший свободу.

Шин умолк, видя, что автор пересказываемого романа потрясен всеми этими ужасами не меньше его самого. До Пола дошло, как невелика цена того, что он сочиняет.

— Дальше, расскажите, что там дальше! — взмолился он.

— Вы же сами знаете! — удивился Шин.

— Продолжайте, прошу вас! — В голосе Пола звучала искренняя мольба.

— Вашу героиню подбирает в Сеуле старый друг ее отца, тоже сбежавший от режима. Он ухаживает за ней, как за родной дочерью, заботится о ее образовании. После университета она получает работу, а свободное время посвящает распространению правдивой информации о положении своих соотечественников.

— Кем она работает?

— Сначала ассистенткой, потом ее берут корректором в издательство. Наконец она дорастает до главного редактора.

— Продолжайте, — попросил Пол, стиснув зубы.

— Деньги, которые она зарабатывает, идут на оплату услуг проводников через демаркационную линию, на финансирование оппозиционных движений, действующих за границей и пытающихся раскрыть глаза западным политикам, подтолкнуть их к действиям против режима Ким Чен Ына. Дважды в год она ездит на тайные встречи с ними. Ее семья остается заложницей безжалостного режима, и если власти догадаются об их родстве, то ее брат и в особенности ее любимый человек поплатятся жизнью.

— Кажется, теперь я услышал достаточно, — прервал Пол рассказ, глядя себе под ноги.

— Все хорошо, мистер Бартон?

— Не знаю...

— Я могу вам чем-то помочь? — спросил Шин, подавая ему платок.

— Имя моей героини... — прошептал Пол, вытирая глаза. — Ее ведь зовут Кионг?

— Совершенно верно, — ответил друг посла.

Пол нашел Миа в парадной гостиной. Заметив его бледность и удрученный вид, она отставила свой бокал шампанского и извинилась перед случайным собеседником.

— В чем дело? — спросила она тревожно.

— Думаете, в этой резиденции есть пожарный выход? Как и в жизни вообще?

— Вы бледный как полотно!

— Мне необходимо выпить чего-нибудь покрепче.

Миа ловко схватила мартини с подноса проходившего мимо них метрдотеля и подала Полу. Тот залпом осушил бокал.

— Отойдем в сторонку, вы все мне объясните.

— Не сейчас, — ответил Пол и стиснул зубы. — Я на грани обморока. Как бы не грохнуться как раз в тот момент, когда посол начнет свою речь.

За ужином Пол не мог не думать о семье, умирающей от голода всего в нескольких сотнях километров от этой гостиной, где приглашенные объедались фуа-гра и птифурами. Два мира, разделенные границей... Его собственный мир рухнул час назад. Миа пыталась встретиться с ним глазами, но он ее не замечал. Когда он встал из-за стола, она последовала за ним. Он извинился перед послом и сослался на утомление, вынуждающее его покинуть прием.

Шин проводил их до дверей. Он долго жал Полу руку на ступеньках резиденции, и Пол видел по его грустной улыбке, что тот все понял.

— Что-то случилось с Кионг? Это из-за нее вы в таком состоянии? — заговорила Миа, как только лимузин тронулся с места.

— Не просто с Кионг, а с ней и со мной. Моего успеха в Корее никогда не существовало. Кионг была не просто переводчицей моих романов...

Видя недоумение Миа, Пол продолжил:

— Она воспользовалась моим именем. Просто сохранила его на обложках, не более того. А под этими обложками публиковала свои собственные тексты, описывая свою историю, свою борьбу. Вчерашний ведущий не был невеждой, как и переводчик, теперь мне придется перед ними извиняться. Если бы не драматический сюжет «моих» корейских романов, все обернулось бы гигантским фарсом. Это же надо представить, столько лет я живу на гонорары за книги, которых не писал! Вы правильно поступили, что уволились, иначе оказались бы помощницей самозванца. Меня извиняет только то, что я понятия не имел о происходящем!

Миа попросила водителя остановить машину.

— Выходите! — приказала она Полу. — Вам нужен свежий воздух.

Они долго шли рядом молча. Наконец Пол заговорил:

— Мне следовало бы ее возненавидеть, но ее предательство восхитительно. Если бы она напечаталась под собственным именем, то обрекла бы на гибель своих близких.

— Как вы собираетесь поступить?

— Еще не знаю, надо подумать. За ужином я чуть голову себе не сломал! Полагаю, пока я здесь, надо продолжать игру. Иначе я ее выдам. Потом пришлю ей из Парижа ее деньги и расторгну договор. Обрадую Кристонели. Так и вижу, как он заливает горе, сидя в «Дё-Маго». А мне придется искать другой заработок.

— Вас никто не заставляет. Это деньги корейского издательства, они заработали на ваших книгах гораздо больше.

— Книги не мои, а Кионг.

— Если вы так сделаете, то вам придется объясняться.

— Посмотрим. Во всяком случае, теперь я хоть понимаю, почему она исчезла. Я должен ее найти, нам надо расставить точки над «i». Я не могу уехать, не повидавшись с ней.

— Вы ее любите, да?

Пол остановился и пожал плечами.

— Сядем в машину, я замерз. До чего странный вечер!

В лифте, поднимавшем их в апартаменты, они встали лицом к лицу, и Миа ласково шлепнула Пола по щеке. Он вышел из оцепенения. Тогда Миа толкнула его в угол кабины и поцеловала.

Поцелуй не прервался и тогда, когда разъехались двери лифта, и потом в коридоре. Они медленно продвигались к номеру, подпирая спинами то одну, то другую стену, врезаясь в двери чужих номеров, пока не добрались до своего.

Даже раздеваясь и падая на кровать, они не прервали поцелуя.

— Это не считается, — прошептала Миа. — Не считается вообще ничего, кроме настоящего.

Они осыпали друг друга поцелуями. Губы, затылок, шея, грудь, живот, бедра, все тело до самых укромных уголков... Бурные объятия — и ни единого слова, лишь прерывистое жаркое дыхание. Так продолжалось до тех пор, пока оба не обессилели и не забылись глубоким сном на мятых мокрых простынях.

18

Пола и Миа разбудил оглушительный звонок телефона.

— Fuck! — крикнул Пол, увидев время на часах под телеэкраном: 10 часов.

Мисс Бак смущенно напомнила, что первая встреча наступившего дня должна была начаться уже полчаса назад.

Пол нашел свои трусы под окном. Его дожидался журналист газеты «Чосон ильбо».

Он схватил с кресла брюки и, натягивая их, запрыгал к комоду. Журналист, по словам мисс Бак, начинал нервничать.

Рубашка оказалась порвана. Миа бросилась к шкафу и достала другую.

— Только что прибыла коллега-журналистка из «Эль»... — раздалось в трубке.

— Она голубая!.. — прошипел Пол.

— ...а потом надо еще успеть на программу на радио KBS.

— Для прессы в самый раз! — отозвалась Миа.

Мисс Бак удалось передвинуть время, назначенное хроникеру из «Муви Уик», поставив его после журналиста ежедневной газеты «Ханкиоре».

Пол судорожно застегивал рубашку.

— Эта газета известна поддержкой политики открытости по отношению к Северной Корее.

Миа расстегнула на нем рубашку и снова застегнула пуговицы, на сей раз правильно.

— ...далее у вас открытая встреча...

— Где мои ботинки?

— Один под комодом, второй у двери.

— ...со студентами на главной площадке книжной ярмарки.

Мисс Бак умудрилась зачитать на одном дыхании всю длинную программу дня.

— Не волнуйтесь, я уже в лифте.

— Врунишка! Брысь! Я скоро буду.

— Где?

— Внизу, перед тем как тебя повезут на радио.

Дверь номера захлопнулась. Через несколько секунд из коридора донесся адский грохот и громкая брань Пола. Миа просунула в дверь голову и увидела тележку, все содержимое которой разлетелось по полу.

— Телесные повреждения имеются? — спросила она Пола, поднимавшегося с колен.

— Все в порядке. Я не пострадал, мне даже не больно...

— Живо вниз! — прикрикнула она.

Вернувшись в номер, она подошла к окну и уставилась на город, накрытый серым небом. Потом достала из сумки мобильный телефон. Тринадцать сообщений: восемь от Крестона, четыре от Дэвида, одно от Дейзи. Она бросила телефон на кровать и заказала завтрак, предупредив, что в коридоре придется прибраться.

Из холла мисс Бак почти что бегом погнала Пола в соседний зал.

— Можно мне кофе? — взмолился он.

— Кофе ждет вас на столе, мистер Бартон, и вы будете сердиться на меня, если он остынет.

— А поесть?

— Вы не сможете говорить с полным ртом, это неприлично!

Еще немного — и она силой втолкнула бы его в зал. Пол попросил у журналистов прощения, и встреча началась.

Приспосабливаясь к истории Кионг, он испытывал странное чувство. И что еще более странно, примеренные им чужие башмаки на поверку оказались сапогами-скороходами. Его удивляла легкость, с которой он отвечал на любой вопрос, глубокие и искренние размышления, которыми он обогащал свой рассказ. Собеседник признался, что эта встреча тронула его до глубины души. Так же получилось и с корреспондентом корейского «Эль». Далее Пола ждала фотосессия, на которой ему пришлось позировать фотографу, неутомимо щелкавшему его на протяжении всего интервью. Пола попросили присесть на край стола, сложить на груди руки, потом убрать руки, подпереть кулаком подбородок, улыбаться, не улыбаться, смотреть вдаль, вправо, влево. Его спасла мисс Бак, напомнившая о других встречах.

Пресс-атташе уже хотела затолкать Пола в лимузин, но он увернулся и подбежал к стойке администратора.

— Позвоните в мой номер, — попросил он администратора.

— Мистер Бартон, мисс оставила для вас сообщение. После вашего ухода она уснула, так что...

Пол лег на стойку животом и ткнул пальцем в коммуникатор.

— Звоните сейчас же!

Мисс Бак нетерпеливо переминалась на месте. Миа упорно не брала трубку.

— Мисс в ванной, — предположил администратор. — Чуть позже она найдет вас на книжной ярмарке. Мне велено сообщить ей расписание вашей конференции.

Пресс-атташе пообещала предпринять все необходимое и прислать автомобиль за его сотрудницей — кореянка с трудом выговорила ее фамилию.

Пол положил трубку и последовал за мисс Бак в смятенных чувствах. По пути он вдруг запустил руку в вазу с леденцами, стоявшую на стойке, и насыпал себе полные карманы.

Час, проведенный в студии KBS, показался ему вечностью, хотя само интервью придало ему еще больше уверенности в себе. Его ответы становились все красноречивее, чувства, которые вызывал у собеседников рассказ о жизни персонажа романа, становились все более бурными. Даже мисс Бак не удержалась и пустила слезу.

— Вы были великолепны, — заверила она Пола, приглашая его снова занять место в лимузине.

Из Дворца конгрессов его доставили на встречу с двумя сотнями студентов, собравшихся послушать знаменитого писателя.

Ведущий представил Пола аудитории, и ему устроили овацию стоя, повергнув его в величайшее смятение. Он тщетно высматривал Миа, пробегая глазами ряд за рядом, когда прозвучали первые вопросы, напомнившие ему о его роли.

Пол бросился исполнять эту роль с рвением, переходившим в раж. Он разоблачал, обвинял, срывал маски с монстров тоталитарного режима, клеймя позором бездействие демократических государств. Его то и дело прерывали аплодисменты.

Он до того распалился, что уже терял контроль над собой, как вдруг умолк посреди фразы. Он встретился взглядом с Юн Хонг, иначе говоря, Кионг. Сидя в заднем ряду, она так улыбалась ему, что он упустил нить своих недавних рассуждений.

За колонной сидела, прячась от Пола, Миа, улыбавшаяся нежно и мирно. Она не спускала с Пола глаз, растрогалась, когда ему зааплодировали, и потеряла его из виду, когда студенты бросились к нему подписывать книги.

Ей, хорошо знакомой с эйфорией славы, было понятно, что он ощущает сейчас, в этой восторженной толпе.

Кионг подошла к помосту последней.

———————

— Миа так и не пришла? — спросил Пол у мисс Бак, ждавшей его в дверях маленькой гостиной, куда он переместился, чтобы перевести дух.

— Ваша сотрудница присутствовала на читательской конференции, — ответила она, указывая туда, где недавно сидела Миа. — Потом она попросила отвезти ее обратно в отель.

— Когда это было?

— Думаю, час с небольшим назад. Вы как раз беседовали с мисс Юн Хонг.

Теперь уже сам Пол торопил свою пресс-атташе, стремясь побыстрее оказаться в лимузине.

В отеле он пронесся через холл, бросился к лифтам, в три прыжка преодолел коридор и остановился перед дверью своего номера, чтобы привести в порядок одежду и пригладить волосы. Открыв дверь, он позвал:

— Миа?

Заглянув в ванну, он не нашел там ни зубной щетки Миа, ни ее туалетного набора.

В спальне, на валике посередине кровати, его ждала записка.

«Пол,

спасибо за все, за твой веселый нрав, за твои мгновения безумства, за это неожиданное путешествие, начавшееся на парижских крышах. Спасибо за выигрыш в невероятном пари. Ты заставил меня смеяться и подарил новые воспоминания.

Сегодня вечером наши пути разойдутся, я никогда не забуду несколько волшебных дней в твоем обществе.

Понимаю дилемму, с которой ты вынужден столкнуться, и то, что ты чувствуешь. Жить чужой, не своей жизнью, любить идею счастья, вместо того чтобы на самом деле быть счастливым, не знать, на каком ты свете. Ты не виноват в том, что случился этот незаконный захват, и что тебе посоветовать, я не знаю. Раз ты ее любишь, раз ее предательство прекрасно, и его вполне можно назвать геройством, то ты обязан ее простить. Наверное, это и есть настоящая любовь: учиться прощать без оговорок и сожалений. Прикоснуться к клавише на клавиатуре, стереть серые страницы и переписать их в ярких красках. А еще лучше – бороться за счастливый конец. Береги себя, хотя в этой фразе маловато смысла... Скажу честно, мне будет не хватать наших тайных мгновений.

Мне не терпится прочесть, что будет дальше с нашей певицей. Побыстрее опубликуй ее историю!

Пусть твоя жизнь будет прекрасной, ты этого заслуживаешь.

*Твой друг
Миа.*

P. S. Не переживай из-за вчерашнего и из-за того, что будет потом: это не в счет».

— Ты ничего не поняла! Это она не в счет! — пробормотал Пол, комкая записку.

Выбежав в коридор, он бросился вниз, к стойке.

— Когда она уехала? — спросил он, задыхаясь, администратора.

— Точно ответить не могу, — отозвался тот. — Мисс попросила у нас машину.

— Куда она поехала?

— В аэропорт.

367

— К какому рейсу?

— Не знаю, сэр. Мы не бронировали ей билет.

Пол повернулся к стеклянной двери. Под козырьком стоял лимузин, в который как раз в этот момент садилась мисс Бак. Пол метнулся туда, заставил кореянку выйти и занял ее место.

— В аэропорт, в международный терминал. Получите самые большие в жизни чаевые, если поднажмете!

Водитель лихо стартовал, и мисс Бак, прилипшая лицом к стеклу в холле, едва успела проследить, как лимузин исчез за углом.

Теперь я устрою тебе сюрприз: ворвусь в самолет, и если твой сосед не уступит мне место, я вставлю ему в рот кляп и засуну на багажную полку. Я не буду бояться, даже при взлете, мы удовлетворимся стандартной самолетной едой, я уступлю тебе свою порцию, если ты проголодаешься. Мы будем смотреть один и тот же фильм, и теперь это будет считаться, причем больше, чем все не написанные мной романы...

Как водитель ни вилял в транспортном потоке, справиться с заторами ему оказалось не под силу.

— Самый плохой час дня, — пожаловался он. — Могу попробовать другой маршрут, но ничего не обещаю.

Пол умолял его постараться. Раскачиваясь на заднем сиденье, он повторял то, что собирался сказать Миа при встрече: о том, какое решение принял, о том, что говорила ему Кионг, то есть Юн Хонг — не просто переводчица, а настоящий его корейский редактор и издатель.

———————

Спустя полтора часа Пол расплатился с водителем, вбежал в здание терминала и уставился на табло вылетов. Рейсов в Париж на нем не значилось.

Стюардесса за стойкой «Эр Франс» объяснила, что рейс вылетел полчаса назад. На завтрашний рейс еще оставалось одно свободное место.

369

19

Как только шасси коснулось бетона посадочной полосы, Пол включил мобильный телефон и попытался дозвониться до Миа. Трижды прослушав текст автоответчика, он перестал звонить. Лучше сказать ей все, что у него накопилось, с глазу на глаз.

Такси привезло его на улицу Бретань. Он забрал у Усача ключи от своей квартиры и бросил там чемодан, не тратя времени на чтение почты и на звонок Кристонели, оставившего ему несколько сообщений на автоответчике.

Приняв душ и переодевшись, он поехал на Монмартр, оставил машину на улице Норвен и пошел в «Кламаду».

Дейзи, увидев Пола, бросила все и побежала ему навстречу.

— Где она? — спросил Пол.

— Сядьте, надо поговорить, — ответила Дейзи, зайдя за стойку бара.

— Она у вас?

— Хотите кофе? Может, вина?

— Я бы предпочел прямо сейчас увидеться с Миа.

— Она не у меня. Я не знаю, где она. Вернее, знаю: наверное, в Англии. Она уехала туда на прошлой неделе, но с тех пор у меня нет от нее вестей.

Пол посмотрел поверх плеча Дейзи. Та проследила его взгляд. Его заинтересовала старинная коробочка для пряностей, стоявшая рядом с кофейной машиной.

— Ну ладно, — призналась она. — Миа была здесь вчера вечером. Примчалась как ураган. Это и правда от вас подарок?

Пол утвердительно кивнул.

— Красиво, я очень тронута. Можно спросить, что между вами произошло?

— Нельзя, — хмуро ответил Пол.

Дейзи, не настаивая, налила ему кофе.

— Ее жизнь куда сложнее, чем кажется на первый взгляд. Да и она сама тоже, хотя и не готова в этом признаться. Но я люблю ее та-

371

кой, какая она есть. Она моя лучшая подруга. Наконец-то она решила взяться за ум, пусть и придерживается этого решения. Раз вы ей тоже друг, лучше оставьте ее в покое.

— Она уехала жить в Лондон или жить со своим бывшим?

— Знаете, у меня много клиентов, а плита сама не умеет готовить. Заходите после десяти вечера, здесь будет поспокойнее. Я накормлю вас ужином, и мы поговорим толком. Между прочим, я прочла один ваш роман и получила большое удовольствие.

— Который из них?

— Думаю, самый первый. Это был подарок Миа.

Пол попрощался с Дейзи и вышел. Кристонели тем временем настойчиво пытался с ним связаться. Пришлось отправиться в Сен-Жермен-де-Прэ.

———

Кристонели встретил его на пороге своего кабинета с распростертыми объятиями.

— Моя звезда! — воскликнул он, крепко прижимая Пола к груди. — Так что же, я был прав, заставляя вас отправиться в это путешествие?

— Вы меня задушите, Гаэтано!

Кристонели отступил на один шаг и одернул на Поле пиджак.

— Мой корейский коллега прислал мне электронное послание с фрагментами из прессы. Целый тюк набрался! Перевода, правда, нет, но и без того ясно, что статьи потрясительные. Вы произвели настоящий кавардак!

— Нам надо поговорить, — пробурчал Пол.

— Разумеется — но, надеюсь, не об очередном авансе? До чего же вы скрытный!– И Кристонели дружески похлопал его по плечу.

— Это не то, что вы думаете, то есть все гораздо сложнее...

— С женщинами всегда все непросто. Говоря «женщины», я подразумеваю тех, с кем мы сталкиваемся ежедневно. Должен отдать вам должное, по этой части вы проявляете завидный апломб.

— Вы об аппетите? — предположил Пол.

— Какая разница? Если вам это важно, сегодня я не настроен вам перечить. Лучше выпьем по рюмочке, отметим вашу победу! А вы ловкач, Пол!

— Может быть, вы уже и без меня подшофе? Какой-то вы странный...

— Я странный? Шутите? Понимаю, вы на взводе. Любой бы на вашем месте... Ай да Пол, вот ведь ловкач!

— Вы уже достали меня со своим «ловкачом»! Что вам рассказала Юн Хонг?

— Юн – кто?..

— Моя корейская редакторша! А о ком, вы думаете, я говорю?

— Скажите-ка, милый мой Пол, когда я двигаю губами, вы слышите что-нибудь, или в самолете вы оглохли? Говорят, так бывает при декомпрессии. Лично я, кстати, терпеть не могу самолеты и стараюсь летать как можно реже. В Милан езжу поездом — долго, конечно, но, по крайней мере, перед посадкой не приходится проходить через сканер. Ну что, по рюмочке? Нет, каков ловкач!

Они уселись за столик в «Дё-Маго». Пол обратил внимание на папку, которую Кристонели положил на диванчик рядом с собой.

— Если это договор на мой следующий роман, то сначала мне надо с вами поговорить.

— Разве наш прежний договор утратил силу? Я так не считаю. Может, моя ассистентка что-то наваляла? Не станете же вы пользоваться этой ситуацией! Я так давно вам помогаю! Как-нибудь познакомите меня с сюжетом вашего следующего шедевра, а пока мне нужны детали, можете не сомневаться, я буду молчать, я — захоронение. Рот на замке!

Для пущей убедительности Кристонели приложил к губам палец.

— Вы что, обкурились? — растерянно спросил Пол.

— Даже не думал!

— Вы говорили с Юн Хонг? Да или нет?

— С какой стати? Повторяю, я прочел ее сообщение и обрадовался, что в Сеуле вам готовят блестящий прием. Разве я вас не предупреждал? Продажи зашкаливают, я намерен обратиться с предложением к китайским издательствам и проинформировать вашего американского издателя. Будем осуществлять все пункты моего плана.

— Если мы намерены точно следовать вашему плану, то просветите меня, что привело вас в такое возбуждение?

Кристонели внимательно посмотрел на Пола.

— Я считал, что мы с вами друзья и что вы мне доверяете. Не скрою, я был разочарован, когда узнал правду вот так, вместе со всеми...

— Я ни слова не понимаю из того, что вы говорите. Вы начинаете меня сильно раздражать. Постараюсь отнести это на счет разницы во времени, — простонал Пол.

Кристонели, напевая себе под нос какую-то арию, открыл свою папку, не переставая напевать, закрыл, опять открыл. Так продолжалось до тех пор, пока рассвирепевший Пол не вырвал папку у него из рук.

При виде обложек светских журналов, которыми оказалась набита папка, он вытаращил глаза и широко разинул рот, словно ему не хватало воздуха.

— Я заподозрил, что где-то ее уже видел, когда забирал вас из полицейского участка, — прошептал Кристонели, озираясь как заговорщик. — Мелисса Барлоу, ни больше ни меньше! У меня нет слов!

Обложки и первые страницы журналов пестрели фотографиями Миа и Пола. Вот они шагают рядом, вот входят в отель, вот они в холле, вот у лифтов, вот Пол наклоняется над водосточным желобом, а Миа его поддерживает, вот он придерживает дверцу лимузина, в который садится Миа... В подписях к фотографиям живописалась сумасшедшая идиллия Мелиссы Барлоу. Во втором журнале, который развернул трясущимися руками Пол, под фотографией Миа, сделанной на книжной ярмарке, было написано:

«За несколько дней до премьеры фильма, в котором она снялась вместе со своим мужем, Мелисса Барлоу разыгрывает другую романтическую комедию в обществе американского писателя Пола Бартона».

— Деликатности во всем этом, конечно, ни на грош, зато для кассы в высшей степени сногсшибательно. Говорю вам, Пол, вы тот еще ловкач. Вы что, обиделись?

Пол, почувствовав приступ тошноты, выбежал из кафе.

Немного погодя в поле зрения Пола, скрючившегося на краю тротуара, появился колеблемый ветром носовой платок. Кристонели стоял позади него и протягивал руку.

— Какая гадость! И меня еще обвиняют в нетрезвости!

Пол вытер рот, после чего Кристонели довел его до скамейки.

— Вам нехорошо?

— Мне отлично, сами видите, я никогда не был в лучшей форме.

— Это из-за фотографий? Вы должны были предвидеть, что так произойдет. Когда встречаешься с восходящей звездой седьмого искусства, чего еще ждать?

— Вам когда-нибудь казалось, что у вас под ногами разверзается земля?

— А как же! — с готовностью откликнулся издатель. — Вначале — когда умерла моя мать. Потом — когда от меня ушла первая жена. Наконец, развод со второй женой. С третьей все было иначе, мы расстались по взаимному согласию.

— Значит, вы меня понимаете. Падая в пропасть, надо быть начеку, потому что внизу тебя ждет следующая пропасть, глубже первой. Поневоле задаешься вопросом, где дно.

Пол вернулся домой и проспал до вечера. В восемь часов он сел за письменный стол. Просматривая почту, прочитал только темы сообщений и быстро выключил компьютер. Через час вызвал такси и попросил отвезти его на Монмартр.

Он вошел в ресторан «Кламада» около 11 часов вечера. Дейзи убирала посуду со столов засидевшихся клиентов, которые уже покинули заведение.

— Я думала, вы больше не придете. Проголодались?

— Сам не знаю...

— Давайте проверим.

Она позволила ему самому выбрать столик, ушла на кухню и вскоре вернулась с тарелкой в руках, села напротив Пола и предложила ему попробовать блюдо дня. Поест — тогда и поговорят. Налив ему стакан вина, она стала смотреть, как он ест.

— Полагаю, вы знали? — спросил он с полным ртом.

— Что она не официантка? Я же вас предупреждала, что ее жизнь сложнее, чем кажется.

— А вы сами настоящий повар или работаете на секретные службы? Можете мне все честно рассказать, я разучился удивляться.

— А вы настоящий писатель! — прыснула Дейзи.

Она поведала ему о своей жизни, и Пол с удовольствием слушал ее воспоминания о детстве в компании Миа.

В полночь он проводил Дейзи до дому, задрал голову и нашел ее окна.

— Если она даст о себе знать, пообещайте, что попросите ее мне позвонить!

— Не стану я вам это обещать.

— Клянусь, я совершенно порядочный человек.

— Именно поэтому я не хочу ничего вам обещать. Поверьте, вы не созданы друг для друга.

— Я очень нуждаюсь в друге.

— Вы лжете так же неумело, как она. Первые дни самые тяжелые, потом вам полегчает. В моем ресторане для вас всегда, в любой час, найдется свободный столик. Спокойной ночи, Пол.

Дейзи толкнула створку ворот и скрылась из виду.

———————

Прошло три недели. Все это время Пол только и делал, что писал. Он не вставал из-за письменного стола, разве что ходил обедать к Усачу, а по воскресеньям — на бранч к Дейзи.

Как-то раз — время шло к восьми вечера — ему позвонил Кристонели.

— Пишете? — с ходу спросил он.

— Нет.

— Смотрите телевизор? — не унимался издатель.

— Тоже нет.

— Отлично, продолжайте в том же духе.

— Вы позвонили, чтобы справиться, как я убиваю время?

— Вовсе нет, захотелось узнать, как ваши дела, продвигается ли ваш роман.

— Прежний я забросил, принялся за новый.

— Блестяще!

— Он будет совсем другим.

— Вот как? Познакомьте меня с сюжетом.

— Вряд ли он вам понравится.

— Гм! Хотите разжечь мое любопытство?

— Нет, я действительно так считаю.

— В этот раз будет триллер?

— Давайте вернемся к этому разговору через две-три недели.

— Детектив?

— Дайте закончить хотя бы вчерне...

— Значит, эротический роман!

— Гаэтано, у вас ко мне конкретный разговор?

— Нет. Как поживаете?

381

— Поживаю хорошо, даже очень. Раз вас так занимает моя жизнь, то скажу: сегодня утром я немного прибрался, позавтракал в кафе внизу, потом почти весь день читал, вечером разогрел себе тарелку чечевицы — сейчас она как раз остывает. Собираюсь писать, а потом лягу спать. Вы удовлетворены?

— Чечевица тяжеловата на ужин, вы не находите?

— Спокойной ночи, Гаэтано.

Пол повесил трубку, покачал головой и сел за компьютер. Принимаясь за новый абзац, он не мог забыть бессмысленную болтовню своего издателя.

Что-то заподозрив, он схватил пульт от телевизора. С новостного выпуска канала TF1 он переключился на новости France 2, потом стал быстро переключать каналы, но в конце концов вернулся на TF1. Бегущая строка сообщала о выходящем на днях на экраны кинофильме.

Пол увидел женщину в вечернем платье, целующуюся с мужчиной. Тот пылко ее обнимал, потом подводил к кровати и принимался раздевать. Он осыпал поцелуями ее грудь, она стонала от вожделения.

На экране возникли крупным планом лица актеров, картинка застыла, потом те же актеры появились в студии.

— «Странное путешествие Элис» выходит на экраны завтра. Мы желаем картине огромного успеха, но самое ожидаемое событие, связанное с этим фильмом, — возможность снова видеть вас вместе, как на экране, так и в жизни. Мелисса Барлоу, Дэвид Бабкинс, спасибо, что приняли наше приглашение этим вечером, — начал ведущий.

Камера показала актеров, сидевших рядышком.

— Мы благодарны за приглашение, месье Делаус, — ответили они в один голос.

— Мне, как и многим нашим телезрителям, хотелось бы узнать, легко или, наоборот, трудно сниматься вместе с супругом?

Миа позволила ответить Дэвиду, и тот сказал, что это зависит от характера эпизода.

— Конечно, — продолжал он, — каждый раз, когда Мелисса участвовала в трюковых съемках, я очень боялся за нее. И наоборот. Не надо думать, что легче всего сниматься в интимных сценах. Конечно, мы хорошо друг друга знаем, но проблема состоит в присутствии съемочной группы... У нас нет привычки впускать чужих в свою спальню. — И Дэвид засмеялся собственной шутке.

— Месье Бабкинс, раз уж вы заговорили об интимном, то позвольте мне обратиться к Мелиссе Барлоу и расспросить ее о фотографиях, недавно напечатанных в светских журналах. Видя вас здесь вдвоем, должны ли мы заключить, что все это — не более чем слухи и сплетни? Позвольте задать вам один вопрос: кто для вас этот писатель, некий Пол Бартон?

— Друг, — коротко ответила Миа. — Очень дорогой для меня друг.

— Вы высоко цените его книги?

— Книги и связывающую нас дружбу. Остальное не в счет.

383

Пол выключил телевизор, пульт выпал у него из рук.

Прошел час, но он не смог выжать из себя ни строчки. В полночь он схватил телефон.

―――――

Седан с тонированными стеклами заехал на стоянку отеля. Дэвид взялся за ручку двери и повернулся к Миа:

— Ты уверена, что хочешь именно этого?

— Прощай, Дэвид.

— Почему не попробовать помириться? Ты взяла реванш. Нельзя сказать, что ты была при этом образцом скромности.

— Я не пыталась прятаться. Но теперь, когда уже не нужно играть неприятные роли счастливых супругов, я сделаю то, что решила, со своей жизнью в том числе. Меня словно грязью окатили, а это даже хуже одиночества. И последнее: подпиши бумаги, которые тебе прислал Крестон, если не хочешь, чтобы я опровергла свои прежние заявления для прессы и рассказала, какой ты на самом деле.

Дэвид окинул ее испепеляющим взглядом и вылез из машины, сильно хлопнув дверцей.

Водитель спросил, куда везти Миа. Она ответила, что собирается ехать в южном направлении. Потом набрала номер Крестона.

— Мне очень жаль, Миа, я должен был принять участие в вашем последнем рекламном вечере, но воспаление седалищного нерва превратило меня в неподвижного инвалида. Наверное, вы почувствовали, что наконец свободны?

— От него и от вас — да, а вообще-то я бы этого не сказала...

— Я изо всех сил старался вас уберечь, но вы сами сделали эту задачу невыполнимой.

— Знаю, Крестон, и не держу на вас зла. Что сделано, то сделано.

— Куда вы теперь?

— В Швецию. Дейзи столько про нее говорит, что давно пора.

— Одевайтесь потеплее, там собачий холод. Надеюсь, вы будете присылать мне весточки.

— Позже, Крестон, не сейчас.

— Отдохните и наберитесь сил. Пройдет несколько недель — и все это канет в прошлое. Вас ждет прекрасное будущее.

— Если бы можно было, нажав кнопку, стереть наши ошибки, это было бы замечательно, правда? Но такое случается только в книжках. До свидания, Крестон, скорее поправляйтесь!

Миа отложила телефон и раскрыла книгу.

20

— Что ты делал после того, как посмотрел передачу?

— Сначала кружил по квартире, потом, в полночь, не выдержал и набрал твой номер. Не думал, что уже на следующий день ты позвонишь мне в дверь. Как я рад тебя видеть!

— Я примчался так быстро, как только смог. В свое время ты поступил точно так же.— Да, но тогда мне пришлось всего лишь проехать через весь город.

— Хреново выглядишь.

— Ты один или где-то тут прячется Лорэн?

— Вместо того чтобы нести чушь, свари мне кофе.

Артур провел с Полом два дня, и за это время их дружба приобрела прежнюю счастливую безмятежность.

По утрам они спускались к Усачу и принимались спорить. Днем гуляли по Парижу. Пол покупал всевозможные бесполезные вещицы: кухонную утварь, безделушки, одежду, которую не собирался носить, книги, которые никогда не стал бы читать, подарки для крестника. Артур пытался его удержать, но все тщетно.

Два вечера подряд они ужинали в «Кламаде». Артур признал, что кухня там восхитительная, а хозяйка ресторана — само очарование.

За одним из этих ужинов Пол посвятил друга в свой необычный, совершенно безумный проект, которым жил в последнее время. Артур предупредил, что Пол подвергает себя серьезной опасности. Пол прекрасно представлял себе все вероятные последствия, но только так он мог примириться со своим ремеслом и со своей совестью.

— В тот день, когда мы с Юн Хонг увиделись на книжной ярмарке, — объяснял он, — мы долго не могли ничего сказать друг другу. Потом она принялась оправдываться. То, что она сделала, дескать, не причинило и не причинит мне никакого вреда. Благодаря ей я вкусил славы, получил приличный гонорар, а она воспользовалась моим именем, чтобы поведать свою историю. Историю, которую никто никогда не прочтет за пределами Кореи, потому что судьба ее народа никого не волнует. Каждый, по ее словам, получил свою выгоду. Однако для меня была невыносима мысль о том, что я живу за счет ее труда. Признаться, ее смелость и решительность привлекали меня гораздо сильнее, чем деньги. Она во всем мне созналась. Оказывается, она пользовалась своими приездами в Париж для встреч с единомышленниками. Она поклялась, что испытывала ко мне искренние чувства, хотя любит другого человека — узника режима, с которым борется. Ты, наверное, думаешь, что я все ей высказал, но нет, она привела меня в восхищение. А главное, впервые за много месяцев я почувствовал себя свободным. Любовь к ней прошла. И понял я это не из-за встречи с ней, не из-за того, что узнал, а только благодаря Миа. Можешь надо мной смеяться, но в каком-то смысле я сделался таким, как ты: у нас обоих странная способность очаровывать призраки. Прости, я ляпнул какую-то гадость. Лорэн здесь совершенно ни при чем. Когда мы простились, я дал себе слово, что перепишу историю Кионг, открою ее для мира и заодно, может быть, докажу себе, что способен рассказать ее лучше, чем она сама. Мой издатель еще ничего не знает. Могу себе представить выражение его лица, когда он начнет читать мою рукопись! Если понадобится, я буду биться, чтобы он ее опубликовал.

— Ты собираешься открыть ему правду?

— Нет, ни ему, ни кому-либо еще. Ты — единственный, кто знает все. Даже Лорэн ничего не говори.

Под конец ужина к ним присоединилась Дейзи. Они выпили за жизнь, за дружбу и за грядущее счастье.

Артур вернулся в Сан-Франциско. Пол отвез его в аэропорт и торжественно поклялся, что теперь, почти избавившись от страха перед авиаперелетами, он непременно навестит своего крестника, как только допишет роман.

Артур расстался с ним ободренный. Пол был в ударе, ничего, кроме книги, сейчас не имело для него ни малейшего значения.

389

Пол забыл про отдых и сон. Отвлекался он и то ненадолго, только когда ходил есть к Усачу, а иногда в «Кламаду».

Однажды, когда он беседовал с Дейзи на скамейке, к ним подошел художник с рисунком в руках. Пол долго рассматривал работу: на нем была изображена со спины пара, сидящая на той же самой скамейке.

— Это было прошлым летом. Справа — вы, — объяснил художник. — Скоро праздники, это подарок от меня.

Пол заметил, что, уходя, художник коснулся руки Дейзи, а та в ответ хитро улыбнулась.

Спустя два месяца поздним вечером, когда Пол правил последние строчки своей книги, позвонила Дейзи и настойчиво попросила встретиться как можно скорее.

Пол уловил в ее голосе возбуждение и намек на то, что она получила весточку от Миа.

Чтобы не застрять в пробке, Пол поехал на метро, а на улице Лепик не вытерпел и перешел на бег. Он промчался мимо Мулен-де-Ла-Галет, задыхаясь, весь в поту, ощущая зверский голод и еле дыша истерзанными легкими. Влетая в «Кламаду», он был уверен, что увидит Миа.

Но за стойкой его дожидалась одна Дейзи.

— Что стряслось? — выпалил он, падая на табурет.

Дейзи продолжила протирать бокалы.

— Не собираюсь тебе рассказывать, что недавно с ней говорила, потому что это была бы неправда.

— Не понимаю...

— Если помолчишь, то я поделюсь с тобой тем, что знаю. Но сперва угощу тебя коктейлем, восстанавливающим силы.

Дейзи не торопилась. Сначала она подождала, пока он выпьет коктейль до дна. Напиток оказался крепким, Пол мигом захмелел.

— Серьезная штука! — похвалил он, откашливаясь.

— Этим отпаивали заблудившихся в Альпах горцев, отыскав их после наступления темноты. Так их вырывали из лап смерти и возвращали к жизни.

— Выкладывай все, что знаешь, Дейзи!

— Знаю я немного, но все-таки...

Она подошла к выдвижному ящику-кассе и достала из него конверт из крафт-бумаги.

Пол хотел было схватить его со стойки, но она не позволила.

— Подожди, сначала я должна с тобой поговорить. Знаешь, кто такой Крестон?

Пол припомнил, что Миа называла это имя в Сеуле. Речь шла как будто о близком друге, хотя его подлинная роль так и осталась для Пола непонятной. Тогда он даже почувствовал укол ревности.

— Он ее агент, то есть был им, — продолжала Дейзи. — У нас с ним есть что-то общее, только это должно остаться тайной на случай, если все рано или поздно устроится...

— Не пойму, что должно устроиться...

— Помолчи, дай договорить. Понимаешь, мы с ним оба страдаем от пустоты, возникшей после ее исчезновения. Сначала я думала, что он беспокоится о ее финансовых делах, но это было раньше...

— Раньше чего?

— Он объявился вчера вечером. Всегда странно, когда имя обретает облик. Я представляла его совершенно другим, думала, он типичный англичанин в котелке и с зонтиком. Клише нас погубят! Короче, Крестон оказался красавчиком лет пятидесяти, и рукопожатие у него такое крепкое, что пальцы хрустят. Я люблю, когда мужчины энергично жмут руку, это многое о них говорит. Ты тоже из таких, мне это сразу понравилось. В общем, вчера вечером он ужинал один за столиком. Прежде чем заплатить по счету, он дождался, пока опустеет зал. Он правильно поступил: если бы я знала, то отказалась бы принять у него деньги. Я сама к нему подошла, иначе он, быть может, ушел бы, так и не представившись. А поскольку он оказался последним клиентом, я спросила, понравилась ли ему еда. Он помолчал и говорит: «Ваши гребешки великолепны, не зря мне их расхваливали, теперь я понимаю, почему она так любила это место». И протягивает мне этот конверт. Открыв его, я поняла, кто он. Он тоже уже много месяцев не получает от Миа никаких вестей. Она звонила ему всего раз с просьбой продать ее квартиру со всем содержимым. Так и не сказала, куда подевалась. Крестон дождался, пока машины увезут ее скарб, и, по его признанию, сам отправился на аукцион, чтобы все это выкупить. Каждое падение молотка аукциониста превращало его в хозяина какого-нибудь предмета, раньше принадлежавшего Миа. Она была его любимицей. Ему была невыносима мысль, что чужой человек будет сидеть за ее письменным столом, спать на ее кровати. Сейчас мебель и безделушки

393

Миа хранятся на мебельном складе в пригороде Лондона.

— А что в этом конверте? — спросил Пол, дрожа от нетерпения.

— Подожди. Он приехал в Париж, чтобы провести вечер в ее любимом месте. Я не могу его за это упрекать: знал бы ты, сколько раз я смотрела на столик, за которым мы с ней ужинали, на ее скамейку на площади Тертр... Признаться, я сажаю клиентов за ее столик только тогда, когда в зале не остается других свободных мест. Бывает, я даже заставляю людей ждать, а этот столик оставляю незанятым, потому что после ее отъезда ни одного вечера не проходит, чтобы я не мечтала о том, как она войдет в эту дверь и спросит, есть ли в моем сегодняшнем меню гребешки...

Пол не выдержал и без спросу вскрыл конверт. В нем лежали три фотографии.

Снимали издали, скорее всего, с террасы ресторана у Карусель дю Лувр. Видна была очередь посетителей музея у Пирамиды. Дейзи указала пальцем на одно лицо.

— Она умеет становиться неузнаваемой, не тебе об этом напоминать, но Крестон не сомневается, что это она.

Пол с замиранием сердца наклонился над фотографией. Дейзи была права: никто ее не узнал бы, но оба они были уверены, что это Миа.

Пол испытал громадное облегчение. Миа выдали ямочки на щеках. В Сеуле он заметил, что они появляются у нее всякий раз, когда ей становится весело. Он спросил Дейзи, как эти снимки попали к Крестону.

— У Крестона есть знакомые папарацци, иногда он выкупает у них негативы, платя больше, чем им предложили бы газеты. В Сеуле он ничего не успел проконтролировать. Словом, он предупредил всех своих знакомых — а их у него полно, — что хорошо заплатит за любую свежую фотографию Миа. Эти тем не менее ему прислали бесплатно.

Пол уже собирался попросить у Дейзи хотя бы одну, но она сама предложила ему взять понравившуюся.

— Наверное, она зажила новой жизнью, — простонал Пол.

— Разве на этой фотографии она не одна? Так зачем заранее опускать руки?

— Потому что надежда причиняет больше всего страданий.

— Болван, крушение всех надежд — вот истинное несчастье! Она была в Париже и не заглянула ко мне. Поверь, у нее никого нет, пока что она работает над собой. Я знаю, она же мне как сестра. Крестон получил эти снимки неделю назад. Это заставило его пойти по ее следу. Прежде чем оказаться у меня, он два дня бродил по Парижу в безумной надежде, что случай ему улыбнется и он столкнется с ней в двухмиллионной толпе... Нет, англичане точно психи! Но мы-то здесь живем, и кто знает, вдруг нам повезет, и...

— Где доказательства, что она еще здесь?

— Положись на свой инстинкт. Если ты по-настоящему ее любишь, то догадаешься, где ее искать.

———

Дейзи не ошиблась. То ли дело было в воображении Пола, то ли в надежде, которую он гнал от себя подальше, но в последующие недели ему не раз случалось почуять на углу улицы аромат духов Дейзи, такой явственный, будто она только что здесь прошла, и поверить, что они только что разминулись. Бывало, он даже ускорял шаг, рассчитывая догнать ее на следующем перекрестке. Порой он окликал напоминавших Миа прохожих, порой бродил по ночам, задирая голову к освещенным окнам и представляя, что за ними живет она.

Его роман напечатали. В сущности, это была подробно изложенная история Кионг. Впервые он вышел за пределы традиционной прозы. Не проходило вечера, чтобы он, сидя за письменным столом, не мучился вопросом: не испортил ли он историю, включив воображение? Не приукрасил ли, не слишком ли драматизировал? Персонажи Юн Хонг под его пером обрели плоть и кровь. Она только описывала их муки во всем трагизме, а Пол повествовал об их жизни, вглядываясь в их внутренний мир. Он сделал то, что обязан сделать писатель, взявшийся за невыдуманную историю.

397

Пресса не обошла вниманием его книгу. Сразу после публикации романа поднялась настоящая буря, Пол, правда, не понял почему. Возможно, он просто уловил дух времени.

В эпоху, когда, еще веря в преимущества личной свободы, все делали вид, будто не замечают, как за восточными границами сжимаются тиски, как усиливается власть диктатур, коих защищает их экономическая мощь, его рассказ, изобличавший неприкрытую тиранию, било точно в цель, пробуждая совесть. Но Пол не видел оснований для гордости, потому что не приписывал себе никаких заслуг. Он считал, что все лавры должны принадлежать отважной Юн Хонг.

Критики пели ему дифирамбы, издательство Кристонели осаждали журналисты, желавшие взять у автора интервью. Пол неизменно отвечал отказом.

Пришла очередь книготорговцев нахваливать его произведение. Впервые книга Пола оказалась в числе бестселлеров, она проникала даже в так называемые храмы мировой мысли.

В конце концов в кулуарах издательства поползли слухи о том, что не за горами присуждение автору литературной премии.

Кристонели все чаще приглашал Пола пообедать и болтал о парижских знаменитостях и светских событиях, с важным видом открывал свой блокнот и перечислял коктейли и торжественные вечера, на которых Полу неплохо было бы появиться. Но Пол никуда не ходил и даже перестал слушать сообщения на автоответчике. Весь шум вокруг него и его книги казался ему чем-то вроде гулкого эха в пустой квартире.

Спустя полтора месяца Кристонели пригласил его в кафе «Флора».

На него оборачивались, его встречали восхищенными или ядовитыми улыбками.

К этому он уже привык, неожиданно было другое: Кристонели заказал шампанское, прежде чем сообщить своему автору нечто «сногсбивательное»: права на издание его романа приобрели уже более тридцати иностранных издательств.

Какая ирония судьбы: историю его переводчицы переведут на тридцать языков! Кристонели поднял тост за его триумф, а Пол тем временем не мог не думать о том, как отнесется ко всему этому Юн Хонг. Он окончательно потерял с ней связь.

В тот вечер было что праздновать, но мысли Пола бродили где-то далеко. Опомнившись, он решил вести себя прилично, ведь события еще только начинали разворачиваться.

21

Как-то осенью, в полдень, в квартире Пола раздался телефонный звонок. Он был таким настойчивым, что Пол, потеряв терпение, снял трубку. Кристонели в состоянии крайнего возбуждения издавал не совсем членораздельные звуки:

— Сре...

— Что?

— Среди...

— Срединная империя? — попытался угадать Пол.

— Да при чем здесь ваша империя?! Поторопитесь! «Средиземное море»! Все уже собрались и ждут вас.

— Большое вам спасибо, Гаэтано, но что я забыл на Средиземном море?

— Замолчите, Пол, и внимательно слушайте! Вам присудили премию «Медичи» в категории «Иностранный автор». Пресса собралась и ждет вас в ресторане «Средиземное море» на площади Одеон. У вас под окнами уже стоит такси. Вам ясно?! — истошно заорал Кристонели.

С этого момента Полу вообще перестало быть ясно хоть что-нибудь, и мысли окончательно перепутались.

— Вот дерьмо! — прорычал он.

— В каком смысле?

— Да просто дерьмо, дерьмо дерьмовское!

— Отвели душу, и хватит. Что это вас разобрало мне про дерьмо рассказывать?

— Это я не вам, а самому себе...

— Все равно, грубость вам не идет.

— Это невозможно! — простонал Пол. — Это не должно случиться!

— Что — это?

— Я не заслужил такой награды и не могу ее принять.

— Пол, позвольте вас предостеречь: похоже, у вас не все дома! От «Медичи» не отказываются, так что прыгайте в такси — и вперед, иначе вы услышите про дерьмо уже от меня! Могу прямо сейчас: дерьмо, дерьмо и еще раз дерьмо! Через четверть часа будут

401

оглашены имена лауреатов. Я уже на месте. Это триумф, дружище!

Пол швырнул трубку. Никогда еще у него так бешено не билось сердце! Он улегся на пол, скрестил руки на груди и проделал серию дыхательных упражнений.

Телефон словно с ума сошел. Это продолжалось до тех пор, пока такси не доставило его на площадь Одеон.

Кристонели дожидался его у входа в ресторан. При появлении Пола засверкали вспышки, и у него возникло леденящее кровь чувство дежавю.

Вместо речи он пробормотал «спасибо». Каждый раз, когда издатель толкал его локтем в бок, он вскидывал голову и прилежно улыбался в объектив, однако на вопросы отвечал уклончиво либо односложно.

В три часа дня, когда Кристонели помчался обратно в издательство, чтобы распорядиться о допечатке тиража и утвердить рекламный текст на суперобложке, Пол вернулся домой и заперся на все замки.

К вечеру позвонила с поздравлениями Дейзи: она услышала новость по радио, когда резала редису, и на радостях поранила палец. Она предложила лауреату отпраздновать событие у нее в «Кламаде» и пригрозила в случае отказа занести его в черный список.

В восемь часов вечера он все еще расхаживал по квартире, дожидаясь звонка Артура.

Вместо Артура позвонила Лорэн: муж укатил с клиентами в Нью-Мексико. Разговор вышел долгим, и, несмотря на расстояние, она подсказала ему средство избавиться от тревоги, а потом ее куда-то спешно вызвали.

Пол уселся напротив монитора и открыл файл с давно заброшенным текстом. Лорэн надоумила его вернуться к истории певицы, и она быстро принесла ему необходимое успокоение.

Написав несколько страниц, Пол почувствовал, как тиски, сжимавшие ему грудь, ослабли. Остаток ночи он творил, чувствуя небывалый прилив вдохновения.

На рассвете Пол принял решение и дал себе слово от него не отступать, какую бы высокую цену ни пришлось за это заплатить. Его лучший друг будет счастлив. Пришло время вернуться на родину.

403

Назавтра Пол нанес визит своему издателю. Он выслушал Кристонели вполуха и решительно отверг все предложенные темы интервью.

Кристонели из последних сил сохранял спокойствие. Двадцать раз он услышал от Пола «нет». Когда прозвучало наконец «да», издатель не обратил внимания и продолжил перечислять журналистов, мечтающих потолковать с писателем.

— Я только что согласился, — сказал Пол.

— Неужели? На что?

— «Большая библиотека» — единственная передача, в которой я приму участие.

— Хорошо, — уныло молвил Кристонели. — Я немедленно их предупрежу. Передача будет завтра вечером. Это прямой эфир.

Последний день Пол посвятил наведению порядка в своих делах. В полдень он поехал обедать к Дейзи. При расставании они крепко обнялись. Дейзи потребовалась вся сила воли, чтобы не разреветься.

Под вечер Пол простился с Усачом и отдал ему ключи. Друг пообещал позаботиться о перевозке вещей, так, как если бы они были его собственными.

В восемь вечера за Полом заехал Кристонели. Пол положил чемодан в багажник такси, и они отправились в студию «Франс Телевизьон».

Когда накладывали грим, Пол помалкивал, попросив только не закрашивать морщинки вокруг глаз. Когда за ним пришел режиссер, он попросил Кристонели следить за передачей по монитору в гримерной.

Франсуа Дютертр, ведущий, встретил его за кулисами и указал на кресло. Кресел было четыре, по числу писателей — участников программы.

Пол поприветствовал коллег и стал глубоко дышать. До начала эфира оставались считаные секунды.

— Здравствуйте, добро пожаловать в студию «Большой библиотеки». Сегодня мы поговорим о литературных премиях, а еще об иностранной литературе. Начнем с автора, незнакомого широкой публике, — во всяком случае, так во Франции обстояло дело до вчерашнего дня, когда ему присудили премию «Медичи» за роман на иностранном языке. Пол Бартон, спасибо, что вы с нами!

На экране возник портрет Пола. Закадровый голос кратко изложил его биографию, напомнил о его прошлом архитектора и решении переехать жить во Францию. Были перечислены шесть его романов. После этого короткого сюжета Франсуа Дютертр обратился к самому Полу:

— Пол Бартон, этот роман, сильно отличающийся от прежних, принес вам премию «Медичи». Это острый, удивительный, волнующий, поучительный роман. Он важен и необходим.

Дютертр еще долго расточал похвалы, а потом спросил, что заставило Пола написать эту вещь.

Пол, глядя прямо в камеру, ответил:

— Я ее не писал. Я ее всего лишь перевел.

Франсуа Дютертр вытаращил глаза и задержал дыхание.

— Я правильно расслышал? Вы не писали этот роман?

— Нет. Эта история, правдивая от первой до последней строчки, принадлежит не мне. Ее автор — женщина. Опубликовать ее под собственным именем для нее невозможно. Ее родители, семья, а главное, ее возлюбленный — все они живут в Северной Корее и заплатили бы за это своими жизнями. По этой причине я никогда не раскрою, кто она, но приписать ее труд себе я тоже не могу.

— Не понимаю! — воскликнул Дютертр. — Вы ведь опубликовали роман под собственным именем!

— Под вымышленным, это наше с ней общее решение. У настоящей Кионг была одна-единственная мечта: чтобы об истории ее родных узнало как можно больше людей, чтобы всем стало известно, какая участь их ждет. В Северной Корее нет нефти, поэтому Западу нет дела до тамошней страшной диктатуры. Я посвятил много месяцев, врастая в ее текст, оживляя ее персонажей, но все равно повторю: эта история принадлежит ей, как и премия, присужденная вчера мне. Я явился сегодня вечером на вашу передачу, чтобы сказать правду, а еще предупредить, что если режим, измывающийся над своим населением, падет, то я назову ее имя, лишь только получу на это ее разрешение. Что касается авторских прав, которые она мне уступила, то я передал их организации «Международная амнистия» и различным движениям, находящимся в оппозиции к этому кошмарному режиму. Выражаю искренние извинения своему из-

407

дателю, который до этого вечера находился в полном неведении, а также членам жюри премии «Медичи». Однако награда присуждена не столько автору, чье имя стоит на обложке, сколько самому произведению. Единственное, что имеет значение, — это содержащееся в нем свидетельство. Призываю всех, кто смотрит передачу, прочесть его во имя свободы и надежды. Спасибо, и простите.

Пол встал, пожал руку Дютертру и другим гостям и покинул съемочную площадку.

Кристонели ждал его за кулисами. Вместе они молча дошли до вестибюля. Когда они остались одни, Кристонели пристально посмотрел на Пола и протянул ему руку:

— Я горд тем, что являюсь вашим издателем, хотя меня так и подмывает вцепиться вам в глотку и задушить. Книга отличная! Нет ни одной значительной книги, изданной за рубежом, над которой не потрудился бы хороший переводчик. Теперь я лучше понимаю ваше решение уехать на некоторое время в Сан-Франциско. Знайте, я буду с нетерпением ждать продолжения приключений вашей певицы. Мне очень понравились первые главы, которые вы любезно позволили мне прочесть, мне не терпится опубликовать эту вещь.

— Спасибо, Гаэтано, но вы совершенно не обязаны это делать. Боюсь, я только что лишился всех своих читателей.

— По-моему, как раз наоборот. Будущее покажет.

22

410

Пол и его издатель вместе спустились по ступенькам. Когда они достигли безлюдного тротуара, из тени вышел молодой человек с листком бумаги в руке.

— Вот видите, как минимум один поклонник у вас остался, — сказал Кристонели.

— Вдруг это агент Ким Чен Ына, посланный меня пристрелить? — усмехнулся Пол.

Его издателю шутка не показалась смешной.

— Это вам, — сказал молодой человек, протягивая Полу конвертик.

Тот открыл конвертик и достал написанную по-английски от руки записку:

«Три фунта моркови, фунт муки, пакет сахара, десяток яиц и пинта молока».

— Откуда это у вас? — спросил Пол.

Молодой человек указал на смутный силуэт на противоположной стороне улицы и быстро зашагал прочь.

Женщина перешла через улицу и приблизилась к Полу.

— Я не сдержала обещания, — виновато проговорила Миа. — Я смотрела передачу.

— Ты мне ничего не обещала, — возразил Пол.

— Знаешь, почему я так быстро в тебя влюбилась?

— Даже не представляю.

— Потому что ты не умеешь притворяться.

— Разве это достоинство?

— Еще какое!

— Ты не представляешь, как мне тебя не хватало, Миа. Смертельно не хватало!

— Честно?

— Кажется, я не умею притворяться?

— Может, ты перестанешь болтать и наконец меня обнимешь?

— Охотно.

И они обнялись, стоя посреди тротуара.

Кристонели немного подождал, посмотрел на часы, подошел к парочке и кашлянул.

— Вы как будто не торопитесь. Не откажетесь уступить мне ваше такси? Мое опаздывает, вы потом воспользуетесь им.

Кристонели отдал Полу его чемодан, захлопнул дверцу, опустил на ней стекло и в тот момент, когда машина отъезжала, успел крикнуть:

— Ловкач Пол!

— Куда ты едешь? — спросила Миа.

— В Руасси, переночую в аэропорту. На рассвете я улетаю в Сан-Франциско.

— Надолго?

— Да.

— Можно тебе звонить?

— Нет, но если захочешь, можно подвинуть моего соседа по ряду. В этом чемодане у меня припасены деликатесы.

Пол поставил чемодан на асфальт и поцеловал Миа.

Их поцелуй длился до тех пор, пока не раздался резкий гудок такси, заставивший обоих вздрогнуть.

Пол усадил в машину Миа и устроился с ней рядом. Прежде чем сказать водителю, куда ехать, он повернулся к ней:

— Этот раз считается или нет?

— Этот считается.

Литературно-художественное издание

Марк Леви
Она & Он

Редактор Е.Тарусина
Технический редактор Л.Синицына
Корректоры Л.Козлова, Т.Филиппова
Компьютерная верстка Т.Коровенковой

ООО «Издательская Группа «Азбука-Аттикус» —
обладатель товарного знака «Издательство Иностранка»
119334, Москва, 5-й Донской проезд, д. 15, стр. 4

Филиал ООО «Издательская Группа «Азбука-Аттикус»
в г. Санкт-Петербурге
191123, Санкт-Петербург, Воскресенская набережная,
д. 12, лит. А

ЧП «Издательство «Махаон-Украина»
04073, Киев, Московский проспект, д. 6, 2-й этаж

ЧП «Издательство «Махаон»
61070, Харьков, ул. Ак. Проскуры, д. 1

Знак информационной продукции
(Федеральный закон № 436-ФЗ от 29.12.2010 г.) **16+**

Подписано в печать 27.08.2015.
Формат 70×100 1/32. Бумага писчая.
Гарнитура «NewBaskerville». Печать офсетная.
Усл. печ. л. 16,77. Тираж 28 000 экз.
B-LEV-17904-01-R. Заказ № 2581/15.

Отпечатано в соответствии с предоставленными материалами
в ООО «ИПК Парето-Принт». 170546, Тверская область,
Промышленная зона Боровлево-1, комплекс № 3А
www.pareto-print.ru

ПО ВОПРОСАМ РАСПРОСТРАНЕНИЯ ОБРАЩАЙТЕСЬ:

В Москве:
ООО «Издательская Группа «Азбука-Аттикус»
Тел. (495) 933-76-01, факс (495) 933-76-19
E-mail: sales@atticus-group.ru; info@azbooka-m.ru
В Санкт-Петербурге:

Филиал ООО «Издательская Группа «Азбука-Аттикус»
в г. Санкт-Петербурге
Тел. (812) 327-04-55
E-mail: trade@azbooka.spb.ru; atticus@azbooka.spb.ru

В Киеве:
ЧП «Издательство «Махаон-Украина»
Тел./факс (044) 490-99-01
e-mail: sale@machaon.kiev.ua

В Харькове:
ЧП «Издательство «Махаон»
Тел. (057) 315-15-64, 315-25-81
e-mail: machaon@machaon.kharkov.ua

www.azbooka.ru; www.atticus-group.ru